U0886092

德鲁克与他的论敌们：马斯洛、戴明、彼得斯

罗珉◎著

Peter Drucker and his
Adversaries in debate

北京燕山出版社
BEIJING YANSHAN PRESS

图书在版编目（CIP）数据

德鲁克与他的论敌们：马斯洛、戴明、彼得斯/罗珉著. —北京：北京燕山出版社，2017.8
ISBN 978-7-5402-4659-4

Ⅰ.①德… Ⅱ.①罗… Ⅲ.①德鲁克（Drucker，Peter Ferdinand 1909－2005）－管理学②马斯洛（Maslow，Abraham Harold 1908－1970）－管理学③戴明（Deming，William Edwards 1900－1993）－管理学④彼得斯（Peters，Tom 1942－）－管理学 Ⅳ.①C93－097.12

中国版本图书馆 CIP 数据核字（2017）第 226380 号

书　　名：德鲁克与他的论敌们：马斯洛、戴明、彼得斯
作　　者：罗　珉
责任编辑：满　懿
出版发行：北京燕山出版社
地　　址：北京市西城区陶然亭路 53 号　邮编：100054
网　　址：http：//www.bjyspress.com
电　　话：总编室（010）65240430
电子信箱：bjyspress@126.com
印　　刷：北京旭丰源印刷技术有限公司
经　　销：新华书店
规　　格：145 毫米×210 毫米　32 开本　8.625 印张　194 千字
版　　次：2017 年 10 月第 1 版　　2017 年 10 月第 1 次印刷
定　　价：68.00 元

版权所有　翻印必究·印装有误　负责调换

在现代管理学构建过程中，或者说在德鲁克管理学形成过程中，德鲁克与诸多管理大师发生了论战。论战涉及的管理大师包括：德鲁克多年的好朋友，美国社会心理学家、比较心理学家和人本心理学家亚伯拉罕·哈罗德·马斯洛（Abraham Harold Maslow）；德鲁克在纽约大学工作时的同事，质量管理大师威廉·爱德华兹·戴明博士（Dr. William Edwards Deming）；美国管理学家、管理咨询师与企业家导师汤姆·彼得斯（Tom J. Peters）。

德鲁克与诸多管理大师的论战为现代管理学和管理实践提供了重要的题材资源，为管理理论的发展增添了新思想，提供了新内容与新案例，强化了管理理论与实践的相关性，形成了现代管理理论的核心架构。这些论战涉及对人性、效率、管理模式、管理学的现代性与后现代性等管理学核心命题的理解、表现与诠释，是管理学家们对无限的组织与管理现实世界所做出的选择，反映了德鲁克与诸多管理大师就管理学的原型、对象与主题的不断地演绎与实验的过程。

本书作者作为德鲁克的学生和资深的德鲁克研究者，以一流的德鲁克管理思想研究成果为学术界和企业界称道。本书以独特的、多维度的、全方位的研究视角，全面介绍、分析和解构了德鲁克与诸多管理大师论战的全过程，并对德鲁克与诸多管理大师管理思想的精髓与实践价值进行了理论解构和实践价值分析。揭示这些论战，可以加深人们对组织及其管理问题的理解，帮助读者打开管理大师们认识社会、组织及其管理和人生的新视阈，使现代管理理论获得了现代性的人文情怀和审美意识。

作者力图向读者呈现德鲁克与诸多管理大师管理思想的精义所在，勾画出这些管理理论与思想产生的特定历史背景，以帮助读者理清管理学发展的思想脉络，重构现代管理学的思想逻辑，并以历史的眼光对其进行分析和评价。

寻绎大师的足迹

1954 年 11 月 6 日，这一天是管理学划时代的日子，德鲁克的著作——《管理的实践》问世。在《管理的实践》中，德鲁克对管理学的基础原理进行了精确阐释，把管理学视为关注“社会实践问题”的学科，现代管理学由此诞生，管理学作为一个独立学科登上了历史的舞台。可以说，德鲁克的管理学理念和研究方法，对西方乃至整个世界的管理学，特别是对现代管理学的发展乃至后现代管理学的建构，产生了普遍而持久的影响。因此，德鲁克也当之无愧地成为“现代管理学之父”（the father of modern management）①、“现代管理学的奠基人”（the founder of modern management）、“二十世纪最重要的管

① John E. Flaherty. Peter F. Drucker：Shaping the managerial mind. San Francisco，California：Jossey-Bass，1999.

理思想家”（the most important management thinker of our time）、“管理艺术大师”（the management guru）或“大师中的大师”（guru’s guru）。

《管理的实践》一书的问世，使管理理论研究和对管理实践解读的生态发生了翻天覆地的变化。

第一，管理学的话语权从早期有实际管理经验的工作者，如弗雷德里克·温斯洛·泰罗（Frederick Winslow Taylor，1856－1915）①、亨利·法约尔（Henri Fayol，1841－1925）②、詹姆斯·穆尼（James D. Mooney，1884－1957）③、切斯特·巴纳德（Chester I. Barnard，1886－1961）④ 等人之手，转向了管理学研究的理

① 弗雷德里克·温斯洛·泰罗（Frederick Winslow Taylor，1856－1915），美国古典管理学家、美国工程师、科学管理的主要倡导人，被称为“科学管理之父”。他首创的科学管理制度对管理思想的发展有重大影响。

② 原法国科芒特里－富香博－德卡维尔采矿冶金公司（Compagnie de Commentry-Fourchambeau-Decazeville）总经理、法国管理学家亨利·法约尔（Henri Fayol，1841－1925）被公认为是古典管理理论的主要代表人之一，亦为管理过程学派的创始人。后人普遍认为，法约尔的贡献在于提出管理的一般原则，即十四项原则，以及明确管理工作的五大职能。

③ 詹姆斯·穆尼（James D. Mooney，1884－1957），美国企业家、原美国通用汽车出口公司的总经理、古典组织理论的重要代表性人物。主要著作有与历史学家出身的企业经理阿兰·赖莱（Alan C. Riley）合写的《前进中的工业》（Onward industry!）（1931）、《组织的原则》（The principles of organization）（1947）。

④ 美国企业家、原美国新泽西贝尔电话公司总经理、古典组织理论的重要代表性人物切斯特·巴纳德（Chester I. Barnard，1886－1961）是西方管理理论中社会系统学派的创始人。巴纳德著作中最有名的是他在 1938 年出版的《经理人员的职能》（The Function of the Executive），被誉为管理学的经典著作。这本书连同他 10 年后写成的另一部重要著作——《组织与管理》可以说是巴纳德管理学理论的代表作。巴纳德的这些著作为建立和发展现代管理学做出了重要贡献，也使他成为社会系统学派的创始人。

论家之手。

第二，管理学迎来了“管理大师的时代”。一代代新的“大师”携炫目独特的思想闪亮登场，推动着管理学的新思想、新方法像时装一样不断变换和流行。管理大师们以独到的犀利眼光把握住组织及其管理的历史和现实的内在规律，并以他们特有的敏感体验着现代组织及其管理带给人们的困扰与激情。管理大师们在语言的层面上，将自我对组织及其管理世界的感受与他们的观念，以形象的方式融汇在一起并展示出来。

在现代管理学构建过程中，或者说在德鲁克管理学形成过程中，德鲁克与诸多管理大师发生了论战。德鲁克一生中有三个主要的论敌：一是德鲁克多年的好朋友，美国社会心理学家、比较心理学家和人本心理学家亚伯拉罕·哈罗德·马斯洛（Abraham Harold Maslow）；二是德鲁克在纽约大学工作时的同事，质量管理大师威廉·爱德华兹·戴明博士（Dr. William Edwards Deming）；三是美国管理学家、管理咨询师与企业家导师汤姆·彼得斯（Tom J. Peters）。

事实上，管理学的母题不外乎是对人性、效率之类问题的表现与诠释，是对无限的现实世界所做出的选择。因此，才有德鲁克与诸多管理大师就管理学的原型、对象与主题的反复、不断地演绎与实验。

德鲁克与诸多管理大师的论战，没有晦涩难懂的术语，没有让人眼花缭乱的推理，更没有高深莫测的数学公式与推导。有的是一幕幕绚丽多姿、灿烂夺目却又有诸多悲欢哀乐管理学家的人生，一场场多姿多彩、引人入胜、精彩迭出和意趣横生的案例展示和管理学实验，一句句妙趣诙谐、意境隽永而深邃的叙事，以及管理大师们情深谊厚的友谊，孜孜不倦的学术追求，强烈的社会责任感，关注人性升华的学术情怀，饱含社会拯救思维的忧思与智慧，充满机智风趣的自嘲与调侃，让人忍俊不禁、捧腹大笑的幽默，不加修饰的批评与讽刺，无不在展现管理大师们一颗颗充满热诚而鲜活的心。

正是德鲁克与诸多管理大师的论战，为现代管理学和管理实践提供了重要的题材资源，为管理理论的发展增添了新思想，提供了新内容与新案例，强化了管理理论与实践的相关性，形成了现代管理理论的核心架构。德鲁克与这些管理大师们的管理理论，思想如此清晰有力，给我们呈现出管理大师们敏锐的洞察力，以及用通俗的语言对深奥管理理论的表述和实验验证。这些理论，百折千回却历久弥新，处处蕴藏着独到而珍贵的真知灼见，让我们深深叹服管理大师们遥遥领先今日管理思潮的程度，向人们展示了管理大师们非凡的预见力。

事实上，当这些管理大师们的管理理论与德鲁克的关系存在时，往往给人以超越时代和现实主义的印象。德鲁克与诸多管理大师的论战，代表了潜心于人类对组织及其管理实践的探索，代表了多重意义上的人性关怀，代表了对组织及其管理从物质到精神等多重领域遭遇的种种实践问题的面对和解决，代表了揭示管理学家自己及时代创伤的冲动与勇气。从这个意义上说，德鲁克与诸多管理大师论战的成果是真正激动人心的、经得起时间检验的管理学思想，实质上是致力于让管理学从工具论的桎梏中解放出来。

30 多年前，我与德鲁克结识并有幸得到他老人家的教诲与指点。从那时起，我开始关注和收集德鲁克的著述，无论是中文的还是英文的，都忘我地阅读，并以此为线索，追踪阅读了西方现代管理学的众多著述。为了追踪德鲁克的思维，我大量阅读了当代许多重要管理学家的论著，对这些管理学家的学术思想有所认识。难能可贵的是，德鲁克还推荐了对他的理论提出批评意见论敌的著作，如美国心理学家亚伯拉罕·哈罗德·马斯洛的《良好精神状态的管理》（Eupsychian Management）①，加拿大管理学家、心理学家爱里奥特·杰奎斯（Elliott Jacques）的《必备的组织》（Requisite Organization）②，美国管理学家、质量管理大师威廉·爱德华兹·戴明博士（W. Edwards Deming）的《转危为安》（Out of the Crisis）③ 等。

我正是阅读了这些著作和与德鲁克多次的讨论中，对德鲁克与他的“论敌”之间的论争和辩论产生的背景、观点冲突、实验或案例非常清楚和了解，并形成了自己的学术判断。我认为，为了进一步丰富和发展德鲁克的管理思想，有必要将这些论争过程、实验或案例的发生、辩论的学术与实践价值总结出来，让更多的管理发展史研究者、实际管理工作者和管理学者能够分享到这一切。从这个角度看，我们应当感谢亚伯拉罕·哈罗德·马斯洛、威廉·爱德华兹·戴明博士和汤姆·彼得斯，他们的存在不仅为管理思想史平添了一段佳话，还凸显出德鲁克的伟大、历史贡献和这些管理大师们的神韵与风采。

在历史境遇面前，我并没有随意编制德鲁克与诸多管理大

---

① Abraham Harold Maslow. Eupsychian management. Homewood, Illinois: Irwin and Dorsey, December 1965.

② Elliott Jacques. Requisite organization: A total system for effective managerial organization and managerial leadership for the 21st century: Amended. 2nd Edition, Virginia: Cason Hall and Co. Publishing, 1996.

③ William Edwards Deming. Out of the crisis. Cambridge, Massachusetts: Massachusetts Institute of Technology Center of Advanced Engineering Study, 1988.

师管理思想的自由和权力。而是希望我的研究，凸现解读这些管理大师的管理思想或携带管理学形成的看不见手的过程，以解读我们对现代管理学的认知过程。我希望借此呈现这些管理大师的神韵与风采，捕捉并传达这些管理大师难以想象的神髓、韵味与感觉。

事实上，德鲁克没有任何私人的仇敌，但却有诸多的学术之敌。因此，对德鲁克与诸多管理大师的论战的研究和解读必须有所侧重。我在本书中主要讨论德鲁克最重要的管理学论敌，主要有亚伯拉罕·哈罗德·马斯洛、威廉·爱德华兹·戴明博士、汤姆·彼得斯之间的友谊与学术之争。当然，对这些问题的探索也离不开对管理大师们学术背景的研究和发掘。这些内容既涵盖了管理大师们最重要的管理学思想，又与我向德鲁克请教的问题相关，我将在本书中结合自己的体会进行更深入的讨论。

本书许多内容尽管取材于诸多管理学家的著述和具有一定代表性的德鲁克研究的著作，但我进行了大量的理论加工，去伪存真、去粗存精，严加选择，在此基础上确定了本书独特的视角和研究方法，建立了自己的学术观点和结构体系，并用较大的篇幅提出和论证了自己的探索性观点和学术思想。

本书文字力求简练、通俗易懂，所选取的国内外研究成果和管理学经典著作都有注释，利于研究者查阅、分析和借鉴。

本书适合管理学专业的各层次学生、管理思想发展史爱好者、实际管理工作者和管理学研究者阅读。

由于我的知识水平和掌握的资料有限，要想实现“海纳百川，包容兼蓄；学贯中西，有容乃大；贤智相辅，穷达超然”的写作初衷，还有较大的困难。因而本书所论述的观点和内容难免有不尽如人意甚至错误之处，还望读者不吝赐教，我将在日后修订再版时做必要的更正。

罗　珉

2017 年 5 月于成都西南财经大学柳林校园

第三章 彼得斯与德鲁克：效能与效率

第一章
马斯洛与德鲁克：“论敌”始于朋友

第一节　马斯洛小传

亚伯拉罕·哈罗德·马斯洛（Abraham Harold Maslow, 1908－1970），美国社会心理学家、人格理论家和比较心理学家、人本主义心理学（Humanistic Psychology）① 的主要发起者和理论家、人本主义管理学的奠基人、心理学第三势力

① 人本主义心理学是心理学理论中除精神分析论与行为论之外的一种新兴理论。因此，人本主义心理学号称心理学中的第三势力。人本主义心理学兴起于20世纪50年代，在理论取向上，一方面反对以病患研究为基础的精神分析论，另一方面反对以动物及幼儿简单行为研究为基础的行为论。人本主义心理学家主张以正常人为研究对象，研究人的经验、价值、欲念、情感、生命意义等重要问题。人本主义心理学研究的目的在于助长个人健康发展，自我实现以至造福社会。

(Third Force Psychology)① 的领导人。

马斯洛 1908 年出生在美国纽约市布鲁克林区（Brooklyn）的一个犹太家庭。马斯洛的父母是从沙皇俄国的基辅城移民到美国的犹太人，他是家中七个孩子的老大。马斯洛的父亲塞缪尔·马斯洛（Samuel Maslow）酗酒，对孩子们的要求十分苛刻。马斯洛的童年生活痛苦，从未得到过母亲的关爱。马斯洛的母亲罗斯·马斯洛（Ross Maslow）极度迷信，性格极为冷漠，待人残酷、脾气暴躁，经常为一些小小的过失就冲着孩子们说："上帝将严峻惩罚你！"马斯洛小时候曾带两只小猫回家，被母亲当面活活打死，给少年的马斯洛留下了巨大的心理创伤。马斯洛母亲去世时，马斯洛拒绝参加葬礼，可见其母子关系之恶劣。

马斯洛虽然出生在犹太家庭，但家里没有什么要恪守的犹太人宗教礼节，正是这种从幼年的心灵折磨到科学探求的发展中，年轻的马斯洛逐渐对宗教产生了强烈的怀疑和对无神论的尊重。马斯洛童年时体验了许多的孤独和痛苦，很难想象这样一个没有快乐童年的人，最终却在研究健康人格上成就卓越。用马斯洛自己的话说，"我常常感到惊异，我的理想主义倾向，我对伦理的关注，我对人道主义、善良、爱、友谊和所有其他美好事物的强调是从哪里来的？我确知它们并不是母爱的直接结果。但是，我的

① 第三大势力又称为心理学人本主义学派，是由马斯洛、美国心理学家罗洛·梅（Rollo May，1909 - 1994）、美国心理学家卡尔·兰塞姆·罗杰斯（Carl Ransom Rogers，1902 - 1987）等人建立起来的，也称为人本主义学派（Humanism）或人本论（Humanistic Theory）。人本论从广义上讲是泛指一切强调人性尊严与重视个人自由及个人价值的理论；从狭义上讲就是人本主义心理学（Humanistic Psychology）。

生活哲学，创立理论的整个取向，以及所有的研究，却都可以从憎恶和反感她所喜欢的每件事情中找到根源。”①

作为犹太人，马斯洛一家住在一个非犹太人的街区，上学后又是学校少有的几个犹太人之一，这一切使马斯洛从小就是一个害羞、敏感并且神经质的孩子，为了寻求安慰，他把书籍当成避难所。青少年时期，马斯洛曾因体弱貌丑（鼻子太大）而极度自卑，借锻炼身体冀求得到补偿。后来当他回忆童年时，马斯洛说道：“我十分孤独不幸。我是在图书馆的书籍中长大的，几乎没有任何朋友。”上学后的马斯洛，由于天赋极高（马斯洛是智商高达 195 的天才），他的学习成绩十分优秀，其状况后来才有所改变。马斯洛从五岁起就是一个读书迷，他经常到街区图书馆浏览书籍。马斯洛的早年经历不仅影响了少年时期的马斯洛，还使成年甚至成名后的马斯洛仍然害怕当众发言，以至于每一次演说之前他都会经历极为强烈的焦虑。

当马斯洛在十年制学校低年级学习美国历史时，美利坚合众国第三任总统、《美国独立宣言》主要起草人之一的托马斯·杰斐逊（Thomas Jefferson，1743 – 1826）和美国政治家、思想家、第 16 任美国总统亚伯拉罕·林肯（Abraham Lincoln，1809 – 1865）就成了他心中的英雄。几十年以后，当马斯洛开始发展自我实现理论时，这些人则成了他所研究的自我实现者的基本范例。

马斯洛的父母未受过教育，但他们坚持让马斯洛学习法律。1926 年，马斯洛进入纽约市立学院（The City College of

① 爱德华·霍夫曼:《马斯洛传：人的权利的沉思》（许金声译），北京：华夏出版社，2003 年。

New York，CCNY）攻读法学专业。起初，他只是为满足父母的愿望专修法律，但仅仅两个星期，他就断定自己的兴趣并非在法律上，感觉自己不适合当律师，因而广泛地选择了各种喜欢的学科。由于对于学习法律没有兴趣，三个学期之后，马斯洛转至威斯康星大学麦迪逊分校（University of Wisconsin-Madison，UW-Madison）攻读心理学。他的心理学导论课的教师是德国生理学家、心理学家、构造心理学派和科学心理学的创始人威廉·冯特（Wilhelm Wundt，1832－1920）的学生——构造主义学派的创始人、英国心理学家爱德华·布雷福德·铁钦纳（Edward Bradford Titchener，1867－1927）。但他很快厌倦了构造主义心理学的元素分析和铁钦纳的枯燥乏味，不久又返回纽约市立学院。1928 年，马斯洛不顾父母的反对和他的表妹，也是高中同学贝莎（Bertha Goodman）结婚，他们有两个女儿。马斯洛宣称，他真正的生命是从结婚和转学威斯康星大学麦迪逊分校时开始的，那年马斯洛 20 岁，贝莎 19 岁。

婚后，马斯洛和贝莎迁往威斯康星大学麦迪逊分校继续他的学业，这也是他真正进入自己的学术研究领域的一个重要转折点。此时，马斯洛发现了行为主义心理学（behavioral psychology），并为之欣喜若狂，不久即师从美国心理学家、新行为主义心理学代表之一克拉克·赫尔（Clark L. Hull，1884－1952）研究动物学习行为。然而，随着马斯洛日益研读格式塔心理学和西格蒙德·弗洛伊德（Sigmund Freud，1856－1939）的精神分析心理学（psychoanalytic psychology），他对行为主义心理学的热情渐渐减退。当年轻的马斯洛夫妇有了自己的家庭后，马斯洛又有了一个重要的发现。他写道：“我们的第一个婴孩改变了我的心理学生涯，她使我从前为之如痴如醉的行为主义显得十分愚蠢，我对这种学说再也无法忍受。它不是能成立的。我们越来越清楚地看到，人的身上有无限的潜在能力。如果适当地运用它们，人的生活就会变得像幻想中的天堂一样美好。"

马斯洛于1930年获威斯康星大学心理学学士学位，次年获得心理学硕士学位。在威斯康星大学，他选修了美国灵长目动物研究的主导研究者，以研究罗猴（Rhesus monkey）和依恋行为知名的比较心理学家哈利·哈洛（Harry F. Harlow, 1905－1981）① 的研究实习课，并成了哈洛的研究助手，后来又成了他的第一个博士生。期间，另一位著名格式塔（德语: Gestalt theorie）心理学家马克斯·魏特海默（Max Wetheimer, 1880－1943）也曾任马斯洛的老师。至此，他渐渐对猿猴（ape）行为产生了兴趣，并自信找到了自己的研究领域。在对猿猴的支配权和性行为的研究中，马斯洛闯入了一个几乎完全未知的领域。1932年2月至1933年5月，马斯洛每天花费数小时，在不惊扰动物的情况下，对不同种类的35个灵长目动物进行观察，并做详细的笔记，完成了题为《支配驱动力在类人猿灵长目动物社会行为中的决定作用》的博士论文，用来证明不仅在猿猴，在其他哺乳动物及鸟类的社会行为和组织中，支配驱动力都是一个关键的决定因素。他注意到支配似乎源自一种"内在的自信心"或"优越感"，而不是通过肉体攻击取

---

① 哈利·哈洛（Harry F. Harlow 1905－1981），美国比较心理学家，马斯洛博士论文的指导教授。哈洛与马斯洛一样，同为犹太人。哈洛早期研究灵长类动物的问题解决和辨别反应学习，其后用学习定势的训练方法比较灵长类和其他动物的智力水平。曾荣获国家科学奖，1951年当选为国家科学院院士，1958年当选为美国心理学会主席，1960年获美国心理学会颁发的杰出科学贡献奖。

得的。在某种意义上，他正在构思一个建立在支配驱动力之上的初步理论，用来解释高级动物中的许多社会行为。在哈利·哈洛的指导下，马斯洛于 1934 年获得哲学博士学位。

由于马斯洛的博士论文非常出色，他给美国心理学家、动物心理学开创者、心理学联结主义的建立者和教育心理学创始人爱德华·李·桑代克（Edward Lee Thorndike，1874－1949）①留下了极为深刻的印象。桑代克在哥伦比亚大学（Columbia University）给马斯洛提供了一份博士后奖学金，并邀请马斯洛在其所在的教育研究学院协助自己进行新的课题研究。1935 年，马斯洛在哥伦比亚大学任桑代克学习心理研究（Thorndike's Learning Psychology）工作助理。

1937 年，马斯洛应聘担任了纽约市立大学布鲁克林学院（Brooklyn College of the City University of New York，CUNY）心理学副教授。马斯洛在布鲁克林学院任教期间，正是德国纳粹迫害学术思想的时期，很多欧洲著名心理学家避难美国，他因而得以结识格式塔心理学家马克斯·魏特海默，德裔美国心理学家、格式塔心理学派创始人之一沃尔夫冈·柯勒（Wolfgang Kohler，1887－1967）和德裔美国心理学家库尔特·考夫卡（Kurt Koffka，1886－1941），以及德裔美国心理学家和精神病学家卡伦·霍妮（Karen Horney，1885－1952）、奥地利裔美国心理学家阿尔弗雷德·阿德勒（Alfred Adler，1870－1937）和德裔美国精神分析学家、社会哲学家埃里希·弗洛姆（Erich Fromm，

① 爱德华·李·桑代克（Edward Lee Thorndike 1874－1949），美国著名心理学家、动物心理学的开创者、心理学联结主义的建立者和教育心理学体系的创始人。他提出了一系列学习的定律，包括练习律和效果律等。1912 年当选为美国心理学会主席，1917 年当选为国家科学院院士。

1900－1980）等。这些人的思想对他的人本主义心理学理念产生了影响。在布鲁克林学院期间，马斯洛结识了许多著名的心理学家和社会科学家。马斯洛敞开门户，努力向每个学者学习。这一时期，多个学科、不同学派的撞击，令人眼花缭乱的学术见解交锋，为马斯洛日后心理学观点的形成起到了积淀作用。

在布鲁克林学院任教的1938年，是马斯洛人生中最关键的一年，马斯洛的心理学新观点在这一年产生。这主要源于两方面的推动：一方面是对黑脚印第安人的考察；另一方面是马斯洛第一个孩子安的出生。这年夏天，在美国著名文化人类学家露丝·本尼迪克特（Ruth Benedict，1887－1948）① 的鼓励下，马斯洛前往加拿大艾伯塔省（Alberta）对黑脚印第安人（Blackfoot）的保留地进行实地考察，进行人类学研究。马斯洛声称，在那里发现了和社会几乎相同的一组人格。马斯洛认为，典型的黑脚印第安人的人格特征是真诚、友善，而没有不安全感、怀疑感、妒忌、忌恨、敌意及焦虑，却很少表现出恐惧感。有一个例子，他们知道会被一匹发狂的马抛下来，所以

---

① 露丝·本尼迪克特（Ruth Benedict，原姓 Fulton，1887－1948），美国著名文化人类学家、20世纪初为数极少的女性学者，受到德国裔美国人类学家、现代人类学先驱法兰兹·鲍亚士（Franz Boas，1858－1942）的影响，与美国语言学家、人类学家、美国艺术和科学院院士爱德华·萨皮尔（Edward Sapir，1884－1939）一起提出最早的文化形貌论（Cultural Configuration），认为文化如同个人，具有不同的类型与特征。本尼迪克特早年学习英国文学，故其作品文笔高妙，并善于作诗及细腻的描述。她的研究尤以对印第安人和日本民族的研究而著名。她的作品中，《文化模式》（Patterns of Culture）与研究日本民族的《菊与刀》（The Chrysanthemum and the Sword）最著名。尽管她论述的重要性已被其他理论取代，但其著作中提出的问题与人文关怀，至今仍受到人类学、历史学等学科的重视与关注，并受到马斯洛和德鲁克的一致推崇，认为她是社会科学中少有的跨界学者。

除非非骑不可，一般不会去骑它。这并不是他害怕被抛下来，而是认为如果没有必要，他并不想被抛下来。他们直率地去做正确的事，而并不注意礼节。几乎没有对权利的追求，人们没有低人一等的感觉，显示了很高的或充分的自尊。

通过这次考察，马斯洛不但摆脱了种族偏见，而且深深感受到了印第安人身上所体现出来的合作、和睦、同甘共苦的精神。马斯洛发现黑脚印第安人具备的人格特征，在他所在的白人社会是同样存在的，这促使他开始思索人性中“基本的”人格结构是什么，动机理论的萌芽由此形成。而家庭中女儿安（Ann）的诞生，给他提供了一个具体观察人类动机的范例。这个刚刚出生的小家伙从小就能强烈地表达自己的需求。通过对安的观察，马斯洛开始怀疑行为主义心理学的观点，行为主义心理学认为人是环境塑造的产物，通过进行一定的教育和文化熏陶就可以培养出想象中的人物，而新生儿与生俱来的一些需求是行为主义无法解释的。许多常见的问题用当时的经典理论解释不通，马斯洛决定要探索出一种新的方法。

在布鲁克林学院任教期间，马斯洛开展了对人的动机的研究，1943 年在美国《心理学评论》上发表了著名论文《人类动机论》（A theory of human motivation）①。马斯洛对人的动机持整体的看法，他的动机理论被称为“需求层次论”（Hierarchy of needs）。这实际上是一个分析人类动机的框架，并提出了著名的“自我实现”（Self-actualization）的概念。可以说，“需求层次论”的提出奠定了马斯洛一生的成就。这种理论认

① Abraham Harold Maslow. “A theory of human motivation”, Psychological Review, 1943, 50 (4): 370 - 396.

为，人类动机的发展和需求的满足有密切的关系，需求的层次有高低的不同，低层次的需求是生理需求，向上依次是安全的需求、爱与归属的需求、受人尊重的需求和自我实现的需求。自我实现是指创造潜能的充分发挥，追求自我实现是人的最高动机，它的特征是对某一事业的忘我献身，高层次的自我实现需求具有超越自我的特征，具有很高的社会价值。健全社会的职能在于促进普遍的自我实现。马斯洛认为，自我实现的需求位于需求金字塔的塔尖，是让马斯洛追随者最着迷的状态。

什么是自我实现？谁完成了自我实现？马斯洛列了一个清单点明他认为完成了自我实现的人物：亚伯拉罕·林肯、托马斯·杰弗逊，阿尔伯特·爱因斯坦（Albert Einstein，1879－1955），美国第32任总统富兰克林·德拉诺·罗斯福的妻子安娜·埃莉诺·罗斯福（Anna Eleanor Roosevelt，1884－1962），美国心理学之父威廉姆斯·詹姆斯（William James，1842－1910），德国著名哲学家、音乐家、神学家、医学家、人道主义者阿尔伯特·史怀哲（Albert Schweitzer，1875－1965），犹太裔荷兰籍哲学家巴鲁赫·德·斯宾诺莎（Baruch de Spinoza，1632－1677），英国著名博物学家、教育家托马斯·亨利·赫胥黎（Thomas Henry Huxley，1825－1895）和12名研究时还健在的普通人。他进一步描述了有哪些因素能激励处于这一层次的人。马斯洛声称，这些人追求真理而不弄虚作假；追求独特而不是单调平庸；追求圆满而不愿有所缺憾；追求简洁，力戒不必要的复杂纷乱；追求乐在其中，而不是忧愁、严肃和苦役；追求自力更生，而不是附属依赖。马斯洛相信，生物进化所赋予人的本性基本上是好的。越是成熟的人越富有创作的能力，邪恶和神经症是环境造成的。

1945年中期，马斯洛预备对研讨自我实现投入更多的精力。自从3年前这一概念初步构成以来，他对此做了很多考虑，并记了大量笔记。在笔记本的第一个条目上，他写道："在杂事烦扰多年的当前，如今我决定对于优秀人物（Good human being）进行深化研讨，要做到尽可能的严谨和正规，虽然一切都相当困难，并且存在相当多的成绩。我要对难以克服的困难保持清醒的认识，然后毫不畏惧地勇往直前。"

到1946年年初，马斯洛揭示了自我实现者似乎共有的两个重要特征：他们是对于隐私的强烈需求和易于产生奥秘体验。他对第三种特征也有预见：感情健康的人比心胸焦虑的人更能用精确的目光看待世界。最后，他还是预备做几个完全创新的实验。他试图证明，自我实现者确实有更精确的对于理想的洞察力。这种洞察力不仅体现在对别人的人格做出判断，还体现在分辨光和声的物理世界方面。

这时，38岁的马斯洛的健康开始恶化，他不得不到他弟弟开办的位于加州普里山顿（Pleasanton）的马斯洛制桶公司所在的普里山顿乡村疗养一段时间。在普里山顿乡村，他读了大量重要人物的传记，对马斯洛来说，这是新的、关键性的一步，从这些具体的人物身上，他发现了人格的健康与人格的力量。

1946年年底，马斯洛根据自己正在构成的动机理论提出了14个命题。他强调：生活的真正成就来自于我们本人的高级需求的满足，特别是自我实现的需求的满足。高级需求满足能够引起更加合意的客观效果，即更深入的幸福感、宁静感，以及内心生活的丰富感……那些生活在自我实现程度上的人，理想上也是最博爱并在个人特质上发展最充分的人。

1951 年，马斯洛应马萨诸塞州新成立的布兰迪斯大学（Brandeis University）之聘担任布兰迪斯大学心理学教授兼系主任。这是一所新成立的大学，有非常宽松的学术环境与学术氛围，研究经费也非常充裕，马斯洛在这里开始了对健康人格与自我实现者的心理特征的研究。1954 年，马斯洛出版《动机与人格》（Motivation and personality）①，首次提出人本主义心理学（Humanistic psychology）的重要概念。由于当时行为主义心理学思想盛行，人本主义心理学并未得到心理学界应有的重视，连马斯洛有关动机与人格研究的论文都无法在美国主流心理学刊物上发表。

《动机与人格》最后的几章，包括了马斯洛的需求层次理论和自我实现理论的精华部分，特别是关于爱、认知、动机等的具体表现方式。最后几章不仅仅是写作方式新颖，内容上也锐意革新。马斯洛提出了把传统心理学研讨转变为兼有科学与伦理意义研讨，给人们留下了令人振奋的想象空间。最令人鼓舞的大概是这本书的附录“积极的心理学所要研讨的成绩”。在附录中，马斯洛提出了一百多个人本心理学的研讨项目，比如，人们怎样才能变得聪明、成熟、仁慈？人们怎样才能具有良好的趣味、性情及创造力？人们怎样才能学会顺应新情况？人们怎样才能学会发现善、辨认美、寻求真？

《动机和人格》很快引起人们的高度关注，马斯洛一下子成为全美国的学术名人。这部著作被公认为是 20 世纪 50 年代心理学领域最重要的学术成就。更有意义的是，它富有压服力

---

① Abraham Harold Maslow. Motivation and personality. New York：Harper，1954.

的思想开始浸透到其他领域，包括企业管理、市场销售、教育、心理辅导及心理治疗等。对许多关注心理学及心理学运用的人来说，马斯洛的名字开始成为一种深化探求人性的标志。他的心理学理论表现出独特的美国式的激进、创新、向上和乐观精神。

在《动机与人格》之后，马斯洛把目光转向了另一个心理学概念——“峰值体验”（peak-experience），这也是他最著名、最有影响的研究之一。马斯洛毕生都是一个无神论者，但他依然不会放弃任何对研究有益的内容，包括宗教体验。为此，他阅读了大量东方宗教思想的背景材料，他认为峰值体验人人皆有。应当看到，马斯洛的峰值体验在被一些心理学同事肯定的同时，另一些人则认为他已经超出科学的范围，进入了不能证明的宗教领域。

直到 1961 年，马斯洛联合志同道合者创办《人本主义心理学期刊》，成为该杂志的首任编辑。1962 年，马斯洛出版《存在心理学探索》，首次提出存在主义心理学的基本概念。同年，美国人本主义心理学会正式成立，马斯洛担任了《超个人心理学》杂志的首任编辑。至此，人本主义心理学思想才获得一席之地。

这一时期，马斯洛的自我实现理论在管理中得到了验证，企业界已经意识到对人的激励应该从金钱转移到关心员工自身上。以后几年，马斯洛进一步扩展了自己的理论，随着《存在心理学探索》的畅销，自我实现、峰值体验（peak-experience）等词已经成为显学和公共术语。晚年的马斯洛，进一步提出了

“超个人心理学”①，这一学说着重研究宗教精神和“人性的最高境界”，他成了这一学科的奠基人。这一学说刮起的浪潮，被人们称为继心理学第三思潮之后的第四思潮。

1965 年，马斯洛根据自己 1962 年夏天对南加州“非线性系统公司”考察所写的日记，出版了一本非常不起眼的小册子——《良好精神状态的管理》（Eupsychian Management）（也称为《优心态管理》）。这本书强调了组织中“协同作用”，主张实施“开明的管理”，以使公司和员工的利益达到统一。遗憾的是，这本人本主义管理学的开山之作在当时并没有引起人们的重视。

1966 年 7 月 8 日，马斯洛当选为美国心理学会主席。这年秋天，马斯洛获得了史无前例的最高赞誉和殊荣，他被美国人本主义协会评选为这一年的“人本主义者”，每天都有来自国内外的约请信，请他参加各种学术和政府会议，接受荣誉学位或者与各种集团、教育机构在研讨项目上进行合作。这表明马斯洛的研究终于获得了美国心理学界和社会公众的认可。

正当马斯洛在人本主义管理理论领域的名声日见显赫之时，他应邀来到加州担任萨加公司（Saga）的驻访学者。萨加公司是一家著名的业务蒸蒸日上的午餐服务公司，而马斯洛的健康状况每况愈下，新英格兰地区的恶劣天气使他饱受心脏病

① “超个人心理学”（Transpersonal Psychology）中文译法还有“精神心理学”和“后人本心理学”。这一学派于 20 世纪 70 年代从美国兴起，是目前势头依然强劲的心理学的新思潮。迄今为止，心理学已经有四大思潮：精神分析心理学、行为主义心理学、人本主义心理学、超个人心理学。超个人心理学又称“心理学的第四思潮”，或简称“第四心理学”。马斯洛本人同时是人本主义心理学和超个人心理学的奠基人。

的折磨。因此，马斯洛愉快地接受了这项为期 4 年、待遇丰厚的研究任务。1969 年年初，马斯洛向布兰迪斯大学请了长期病假，来到阳光灿烂的加州。在萨加公司，他有一间单独的设备齐全的办公室，可以在任何时候对公司的高管进行访谈。

此时，马斯洛把家安置在加州圣马特奥县（San Mateo County）东南部的一座叫作门罗帕克市（Menlo Park）的小城，过着半退休的生活，并成为加利福尼亚劳格林慈善基金会（Laughlin Function）第一任常驻评议员。1970 年 6 月 8 日，马斯洛因心力衰竭，在家中逝世，享年 62 岁。

马斯洛的去世并没有中断他所开创的事业，1970 年 8 月国际人本主义心理学会成立，并在荷兰首都阿姆斯特丹（Amsterdam）举行首届国际人本主义心理学会议。1971 年美国心理学会通过了设置人本主义心理学专业委员会决议，使之成为美国心理学会第 32 分会。这两件事标志了人本主义心理学思想获得美国及国际心理学界的正式承认。遗憾的是，马斯洛本人未能亲眼看到他多年为此鞠躬尽瘁所获得的成果。

马斯洛去世 20 多年之后，人本主义的管理潮流使人们重新认识和评价马斯洛 60 年代的经典著作《良好精神状态的管理》（Eupsychian Management）。1998 年，这本书以《马斯洛论管理》（Maslow on Management）为名重新出版，人们将马斯洛称为人本主义管理学的奠基人。

第二节 友谊的小船

马斯洛是德鲁克多年的好朋友兼“论敌”，他们的友谊是从 1944 年冬天或 1945 年春天开始的。德鲁克后来回忆道：马斯洛来佛蒙特州本宁顿（Bennington）时，正是战争时期，为了节约能源，学校放了三个月的寒假。当时，马斯洛并不认识德鲁克，他去佛蒙特州本宁顿学院（Bennington College）是为了拜访匈牙利裔美国政治学家、社会学家卡尔·波兰尼（Karl

Polanyi，1886－1964）[①]，由此结识了同在本宁顿学院教授经济学和政治学的德鲁克，并成为好友。这时，德鲁克已经出版了《工业人的未来》，正接受美国通用汽车公司（GM）的邀请对其进行系统研究，马斯洛则在美国《心理学评论》上发表了著名论文《人类动机论》（A theory of human motivation），而卡尔·波兰尼刚刚完成了《伟大的转折》（The great transformation）[②] 一书的初稿。马斯洛的来访使他们三人对共同感兴趣的问题进行了多次深入的彻夜讨论。后来，德鲁克由于经常外出到各地演讲，顺道去纽约多次拜访马斯洛。德鲁克后来在其自传《旁观者的历险》一书中回忆道：当时正是战争时期，可能是节约能源的原因，学校放了三个月的寒假。由于要研究通用汽车公司，需要经常去纽约与通用汽车公司总裁查尔斯·爱德华·威尔逊（Charles Edward Wilson，1886－1972）等人会面，德鲁克干脆在纽约租房，那三个月基本上都待在纽约，与马斯洛见面的机会相当多。

马斯洛和德鲁克都是美国著名文化人类学家露丝·本尼迪克特（Ruth Benedict）的崇拜者，他们都特别推崇本尼迪克特

---

① 卡尔·波兰尼（Karl Polanyi，1886－1964），匈牙利裔美国政治学家、哲学家，政治经济学家，是20世纪公认的最彻底、最有辨识力的经济史学家。当法西斯主义兴起时，他离开了匈牙利，成为英国公民，后移民美国。在其学术生涯中，曾先后在牛津大学、伦敦大学、美国佛蒙特州本宁顿学院教书。著有《法西斯主义的本质》《伟大的转折》和《达荷美和奴隶贸易》（与A. 罗特施泰因合著）等作品。波兰尼与德鲁克是世交，德鲁克的父亲曾任第一次世界大战时期奥匈帝国奥地利中央银行行长，波兰尼的父亲曾任第一次世界大战时期奥匈帝国匈牙利中央银行行长。

② Karl Polanyi. The great transformation：The political and economic origins of our time. Masschusetts，Boston：Beacon Press，1944.

在其著作中提出的人类文化问题与人文关怀，并认为她是社会科学中少有的跨界学者，其理论可以运用于人类学、历史学、心理学和管理学等学科。马斯洛向德鲁克介绍了本尼迪克特关于“协同作用”（synergy）的概念。马斯洛在他的日记中回忆道：本尼迪克特的“协同作用”的概念来自于她1941年未发表的演讲稿中，用来褒奖协作，而协作应当能够成为工业大生产条件下使全体成员受益的一种文化模式。当时除了马斯洛、玛格丽特·米德（Margaret Mead，1901－1978）①、德鲁克和马斯洛的几个朋友知道外，并不为人所知。马斯洛对本尼迪克特的“协同作用”概念进行了详细阐述，认为可以用来概括不同的文化。在高协同的文化中，对某个人有益的同时也对大家有益，反之亦然。在本尼迪克特的“协同作用”概念基础上，马斯洛发展出“协同性”（synergic）这一形容词，意指具有协同作用的过程和环境条件，也是个人和组织、社会的需要，目标互相促进的一种程度。比如，一个具有协同性的社会是美德能得到回报的社会，一个美满的婚姻也是协同性的。同样道理，一个具有协同性的组织是能够获得美德回报的组织。

马斯洛和德鲁克能够成为亲密的朋友，是与他们两人都是无神论存在主义者和人道主义的存在主义者有关。早在少年时期，马斯洛就感受到了人所遭受的痛苦和苦难，同时也确立了追求自由和永恒的信念，对宗教产生了一种强烈的怀疑和对无

① 玛格丽特·米德（Margaret Mead，1901－1978），美国人类学家，美国现代人类学成形过程中最重要的学者之一，曾担任美国自然史博物馆馆长、美国人类学会主席。米德先后提出文化决定论、三喻文化理论和代沟理论，并被誉为人类学之母。

神论的尊重。而德鲁克本人是在路德教（Lutheranism）[①] 自由气氛下长大的，一向不受宗教教条的约束，全家"已经'自由'到圣诞节时仅以一棵圣诞树作为装饰，复活节仅聆听几首约翰·塞巴斯蒂安·巴赫（Johann Sebastian Bach）的圣诞节清唱剧（Christmas Oratorio）[②] 的地步。"[③] 德鲁克的路德教家庭背景和其在欧洲的早期生活经历，造就了德鲁克独特的精神和风格，使他承袭了欧洲大陆悠久的人文主义传统，德鲁克身上始终具有浓郁的维也纳精神气质，那就是 19 世纪博学审问、慎思明辨的自由主义者的人文素养与价值关怀。马斯洛和德鲁克的这一经历，自始至终成为他们关注人的生存境遇和存在意义的基础。随着友谊的加深，马斯洛和德鲁克经常将个人的经历带入交谈中，以证明自己的观点。马斯洛向德鲁克讲述了自己少年时期的痛苦经历和对"爱的渴望"，马斯洛观察到女儿安（Ann）刚一出生就有"天生的需求"等。德鲁克向马斯洛讲述了自己少年时期所看到的第一次世界大战之后欧洲因粮食短缺的人道主义危机的经历，和从此坚定了要通过管理来实现"人性"的愿望。

事实上，马斯洛和德鲁克的管理哲学思想都有着较强烈的

① 路德教派由德国天主教奥斯定修会的一位神父马丁·路德创立，主张人只靠信德即可成义得救，不需行任何善工。

② 《圣诞节清唱剧》是德国作曲家约翰·塞巴斯蒂安·巴赫（Johann Sebastian Bach，1685－1750）1734 年在莱比锡市立教堂创作的，为独唱、合唱队及管弦乐队而作。巴赫的《圣诞节清唱剧》是"巴洛克的圣诞音乐"的代表，又叫《圣诞神曲》。

③ Peter F. Drucker. Adventures of a bystander（autobiography）. New York：Harper and Row，1979.

存在主义（Existentialism）① 的色彩，强调个人、独立自主、主观经验和人的自我实现。马斯洛和德鲁克存在主义的基本特征是：宣称经理人或管理者是管理学的根本，“管理就是人”“管理是有关人的艺术”“组织及其管理存在先于本质”，这是德鲁克管理学和马斯洛人本主义管理学的最基本命题，也是两人能够成为志向远大、气味相投的好朋友的思想根源。

马斯洛和德鲁克都高度关注工业大生产条件下的“人性”。根据德鲁克在通用汽车公司管理的实践，已经形成只有“人”才是管理学的主题和全部内容的思想。德鲁克（Drucker, 1979）在他的自传《旁观者的历险》中回忆到：管理学“这是一个以人为主轴的事业”“我更关心人的行为”“‘人’不只是比较有趣，更有着许多不同的形态，也比较有意义，因为人会发展、表露、改变并成为一种新的形态。”② 这时的马斯洛已经预备对研讨“自我实现的人”投入更多的精力，他在日记中写道：自从3年前“自我实现的人”这一概念初步构成以来，我对此做了很多考虑，并记了大量笔记。但对工业大生产条件下企业的管理者和工人如何成为“自我实现的人”，他自认为“底气不足”，完全是“新手上路”，需要得到德鲁克的帮助。

1942年，德鲁克接受通用汽车公司的邀请后正式对企业管理问题进行研究。他在对通用汽车公司进行了18个月的详

---

① 存在主义一词的拉丁文 existentia，意为存在、生存、实存。存在主义哲学论述的不是抽象的意识、概念、本质的传统哲学，而是注重存在、注重人生，但也不是指人的现实存在，而是指精神的存在。

② Peter F. Drucker. Adventures of a bystander（autobiography）. New York：Harper and Row，1979.

细调研后，于1945年出版了著名的《公司的概念》。书中建议企业应该培养“有管理能力”的、“有责任心的工人”（responsible workers）和“自我管理的工厂社区”（self-management community）。德鲁克认为，有些经理事实上仅仅是别人的上司，他们的行为其实并不能对组织的行为产生重大的影响，所以他们并不能称之为“管理者”。有些人虽然没有下级，但他自己能做决策，并承担起做出贡献的责任，那他同样是一个“管理者”。同时，作为经理，要想成为有效的管理者，首先需要学会“管理好自己”；作为员工，则要努力学会成为管理者，特别是要学会管理好自己的“上级”。总之，所有人都要积极参加管理，而最终企业将成为一个自我管理的社区。

德鲁克的建议在通用汽车公司遭到了强烈的抵制，因为公司的管理层认为管理是一门需要专业知识的科学，工人是不可能懂得管理的。他们认为，德鲁克让工人参加管理，就好像“让学校里的孩子们自己判断地球是圆的还是方的一样，而无视客观的科学真相”，“让工人承担本该由管理层负责的工作，就好比给他们加上了一个无法承受的重担”，必须“让经理来管理，让工人去工作”。通用汽车公司的抵制使德鲁克有一种强烈的挫败感，但他仍然相信，现代社会协作劳动群体非常需要“有责任心的工人”。

在与马斯洛的交往过程中，德鲁克多次向马斯洛介绍了他的“有责任心的工人”和“自我管理的工厂社区”的概念。马斯洛发现，德鲁克的“有责任心的工人”或许与他的需求层次论中的某些东西相似，可以纳入人类动机分析的框架中。但能否纳入，马斯洛不敢肯定。而德鲁克认为，马斯洛的需求层次论完全可以把这套理论运用于职业场所，马斯洛的关于

“自我实现的人”的假设，必须在现代社会协作劳动的群体——工厂中去检验，或许经理人可能发现马斯洛的理论与员工激励、薪酬方案之间的相关性。这一时期的马斯洛，已经发现和揭示了自我实现者共有的两个重要特征：自我实现者具有自我实现的强烈需求和追逐“峰值体验”的意愿。马斯洛有一种预感，他认为自我实现者是感情健康的人，他们比心胸焦虑的人更能够用精确的目光看待世界。这种预感能否证明，他还需要在协作劳动群体中做几个完全创新的实验。这种实验需要证明的是，自我实现者对于理想确实有更精确的洞察力。

马斯洛认为，德鲁克的“有责任心的工人”或许是人的一种“内在性价值”（intrinsic value）。这是出于人的本能的人类价值，我们需要满足它们，才能促进全面发展，并保持心理健康。剥夺协作劳动中的人的内在价值会导致超越性精神疾病，内在性价值也是超越性需求的对象。马斯洛发展出“类本能需求”（instinctoid needs）的概念。这是指人的天生的心理需求，包括“基本需求”和“超越性需求”，尽管本质上较弱，但是使我们可能追求生活中的某些价值，如“真”或“美”。只有满足类本能需求才能获得身心的完全健康。马斯洛认为，德鲁克的“有责任心的工人”是否是人的一种“内在性价值”和“类本能需求”，需要在协作劳动群体中做创新性的实验，现在下结论还为时过早。

1950 年，德鲁克应纽约大学之聘成为该校的管理学教授，这是世界上第一个管理学教授职位，在这之前还没有哪个大学设立管理学教授的教职，德鲁克对此引以为傲。1951 年，马斯洛应马萨诸塞州新成立的布兰迪斯大学（Brandeis University）之聘担任布兰迪斯大学心理学教授兼系主任，举家迁往马萨诸塞州沃尔瑟姆市（Waltham）。从此，马斯洛与德鲁克面对面的交流次数有限，只是偶尔有书信往来。

1954 年，马斯洛的《动机与人格》和德鲁克的《管理的实践》这两本划时代著作的问世，给他们两人带来了同一个崇拜者，这就是当时正在麻省理工学院斯隆管理学院攻读道格拉斯·麦克雷戈的心理学博士学位的沃伦·本尼斯（Warren G. Bennis，1925－2014）①。沃伦·本尼斯在阅读了两位大师的著作后，分别拜访了马斯洛和德鲁克，从此成为这两位大师终生的挚友。

1960 年，沃伦·本尼斯的导师道格拉斯·麦克雷戈出版了《企业的人性面》后，马斯洛与德鲁克关于人性假设的争论越来越激烈，两人的书信往来逐渐减少，对各自正在进行的研究了解不多。马斯洛在 20 世纪 60 年代进行的许多研究和心理学实验，都是沃伦·本尼斯告诉德鲁克的。德鲁克非常关心马斯洛在南加州“非线性系统公司”进行的心理学实验，当他从沃伦·本尼斯那里得知马斯洛的学术著作出版遇到困难时，德鲁克立即给予资助。就我所知，德鲁克除了资助马斯洛

① 沃伦·本尼斯（Warren G. Bennis，1925－2014），组织行为学大师、领导艺术的指导者、组织发展理论创始人。沃伦·本尼斯在第二次世界大战中是美国海军最年轻的军官，第二次世界大战后退役进入安蒂奥奇学院（Antioch College）读本科，成为道格拉斯·麦克雷戈的学生。道格拉斯·麦克雷戈去麻省理工学院任教后，沃伦·本尼斯追随麦克雷戈去了麻省理工学院，成为道格拉斯·麦克雷戈的博士生。沃伦·本尼斯、埃德加·沙因（Edgar H. Schein）和克里斯·阿吉里斯（Chris Argyris，1923－2013）一起参加了道格拉斯·麦克雷戈的研究团队，这个团队为组织行为学的发展做出重要贡献。沃伦·本尼斯曾是四任美国总统的顾问团成员，并担任过多家《财富》500 强企业的顾问。1993 年及 1996 年两度被《华尔街日报》誉为“管理学十大发言人”，被《福布斯》杂志称为“领导学大师们的院长”，《金融时报》则赞誉他是“使领导学成为一门学科，为领导学建立学术规则的大师”。

出版著作外，他还将他的版税收入 25 万美元赠予美国佛罗里达州的一个非营利组织——美国基督教救世军（The Salvation Army）。[①]

尽管马斯洛在《良好精神状态的管理》中对德鲁克进行公开的学术批评，但这并不影响两人的友谊与感情。德鲁克拒绝在访谈、公开发表的论文和著作中对马斯洛进行直接的批评，只是在私下与沃伦·本尼斯等少数挚友之间的交流中才会谈到他与马斯洛之间的观点交锋。马斯洛去世后，德鲁克非常关心马斯洛逝世后遗作的整理出版。当得知《马斯洛传》和马斯洛未发表过的文章《洞察未来》(Future Visions: The Unpublished Papers of Abraham H. Maslow)[②] 在 1996 年得以出版的消息时，他感到非常欣慰。德鲁克的这种胸襟和气度，非常人可比。

在《马斯洛论管理》(Maslow on Management) 一书的封面上，德鲁克向人们推荐：“这是马斯洛最重要、最不朽的著作，

① 基督教救世军（The Salvation Army）是一个成立于 1865 年的基督教教派，以街头布道和慈善活动、社会服务著称。其国际总部位于英国伦敦维多利亚皇后街 101 号，在全世界有几千个分部，分布在 70 多个国家，据称有成员 200 万人。其中，美国基督教救世军属于美国佛罗里达州的一个非营利组织，主要职能是对一些假释犯进行监管和引导，以协助遭社会拒绝、排斥的人重新成为好公民。而英国 1994 年 10 月 1 日的评论文章《彼得·德鲁克：救世军》将德鲁克称为救世军，德鲁克对这一称号非常满意。有趣的是 2001 年，基督教救世军授予德鲁克救世军最高奖项“伊万婕琳·布斯奖”(Evangeline Booth Award)，以表彰他为非营利组织领域所带来的巨大的有利影响。德鲁克致答谢词时说：“没有哪一个组织比救世军更让我羡慕和尊敬，它一直是我的老师和导师。”

② Abraham Harold Maslow. Future visions: The unpublished papers of Abraham Harold Maslow. Edward Hoffman, Ed. California: Sage Publications, 1996.

给我带来终生影响。”①

德鲁克十分欣赏马斯洛在《马斯洛论管理》中提到的论点：“企业家永远需要的是采取不同方式管理不同的人。”② 德鲁克说：“我对马斯洛的说法‘简直无法抗拒’”。③

---

① Abraham Harold Maslow. Maslow on management. New York：Wiley，1998.

② Abraham Harold Maslow. Maslow on management. New York：Wiley，1998.

③ Peter F. Drucker. Management：Tasks responsibilities practices. New York：Harper and Row，1973.

第三节　人性之辩

严格地说，“人本主义管理学”或“管理学人本主义范式”的开拓者和奠基人是亚伯拉罕·哈罗德·马斯洛。

事实上，在马斯洛涉足人本主义管理学之前，其他管理学者也写过管理学人本主义思想的一些著述。比如，因霍桑实验

(Hawthorne Experiment)① 而闻名的美国哈佛大学心理学家乔治·埃尔顿·梅奥（George Elton Mayo，1880－1949）②、弗里兹·朱利斯·罗特利斯伯格（Fritz J. Roethlisberger，1898－1974）③ 关于人际关系的著作，美国心理学家库尔特·卢因（Kurt Lewin，1890－1947）④ 从人性化角度谈管理的著作，美国企业领导人顾问玛丽·帕克·福莱特（Mary Parker Follet，

---

① 在伊利诺伊斯州西赛罗市（Illinois Cicero），由美国国家研究委员会与美国西方电器公司合作，在西方电器公司所属设在芝加哥附近霍桑工厂进行的霍桑试验，其初衷是试图通过改善工作条件与环境等外在因素，找到提高劳动生产率的途径。从1924年到1932年，先后进行了四个阶段的实验：照明试验、继电器装配试验室试验（Relay Assembly Test Room Experiment）、大规模访谈和对接线板接线工作室的研究。但试验结果却出乎意料：无论工作条件（照明度强弱、休息时间长短、工厂温度等）改善还是未改善，试验组和非试验组的产量都在不断上升；在试验计件工资对生产效率的影响时，发现生产小组内有一种默契，大部分工人有意限制自己的产量，否则就会受到小组的冷遇和排斥，奖励性工资并未像传统的管理理论认为的那样使工人最大限度地提高生产效率；而在历时两年的大规模的访谈试验中，职工由于可以不受拘束地谈自己的想法，发泄心中的闷气，从而态度有所改变，生产效率相应地得到提高。

② 乔治·埃尔顿·梅奥（George Elton Mayo，1880－1949），美籍澳大利亚心理学家和管理学家，人际关系学说的创始人，美国艺术与科学院院士。

③ 弗里兹·朱利斯·罗特利斯伯格（Fritz J. Roethlisberger，1898－1974），人际关系理论的创始人之一，早期人际关系理论的归纳总结者。

④ 库尔特·卢因（Kurt Lewin，1890－1947），美籍德国犹太人，著名的社会心理学家，心理学中“人类行为场论”（Field Theory of Human Behavior）和“群体动力论”（Group Dynamics Research）的最先提出者，传播学研究中守门人理论（Gate Keeper）的创立者，其代表作为《个性动力论》《解决社会矛盾》《群体决定与社会变革》等。

1868－1933)[①] 关于企业是一种崭新社会组织形态的著作。德鲁克发现，福莱特就社会、人和管理提出的基本假设远比当时的管理学学者提出的假设更接近事实，甚至今天的许多管理学家提出的理论也望尘莫及。[②] 福莱特对人本主义管理学确立的影响主要在于帮助后来的管理学者确立人本主义管理学的基本价值观、方法论和解决具体问题的基本管理原则，我们从马斯洛和德鲁克著述的许多方面都可以找到福莱特的影子。

早在20世纪50年代初期，德鲁克就对马斯洛说："人比

---

① 玛丽·帕克·福莱特（Mary Parker Follet，1868－1933），美国新英格兰地区的一位社会工作者，在20世纪二三十年代成为企业领导人的顾问。1924年，她出版了企业哲学的代表作《创造性的经验》，开辟了管理思想的新领域。1941年，美国管理学家亨利·梅特卡夫（Henry C. Metcalf）和英国管理学家、古典管理理论的集大成者、福莱特的密友林德尔·厄威克（Lyndall F. Urwick，1891－1984）共同编辑出版了《动态管理：福莱特文集》(Dynamic administration：The collected papers of Mary Parker Follett)。1949年，厄威克又以《自由与协作：福莱特关于企业组织的演讲》（Mary Parker Follett，freedom and coordination：Lectures in business organization）为题出版了福莱特在伦敦经济学院的演讲集。这两部著作对全面了解福莱特的思想具有重大价值。

② 德鲁克从未与福莱特见过面，而是通过林德尔·厄威克的介绍知道了福莱特的著作。德鲁克在为保林·格拉汉姆（Pauline Graham）等人编辑出版的《玛丽·帕克·福莱特：管理学的先知》(Mary Parker Follet：Prophet of management）一书的前言中将福莱特称为"管理学的先知"（Prophet of Management）和"一流的实干家"。福莱特的遭遇很能说明问题，由于她提出的假设无法与20世纪三四十年代萌发的管理理论所认定的事实相吻合，因此她生前一直默默无闻，甚至在她去世后，她的著作始终处于被人遗忘的角落长达25年。参见：Peter F. Drucker. "Introduction", in Pauline Graham (Eds), Mary Parker Follett：Prophet of management. Boston, Massachusetts：Harvard Business School Press, 1995. Preface.

任何概念都来的有趣多了。”① 其实从德鲁克的第一本书开始，德鲁克所写的一切无不在洞察人性，而马斯洛从1943年提出需求层次论以来，一直对协作劳动状态下的人的精神性存在充满兴趣。对马斯洛的问题，德鲁克（Drucker，1952）的回答是：“生产力提升背后的真正因素是管理者和员工的基本态度。我们的结论就是：‘生产力是一种态度’。换句话说，员工的工作动机决定了员工的产出。”②

在无神论者的德鲁克和马斯洛看来，人本主义的核心是那种世俗观念：我们真正能够认识的只是我们所创造的东西。换言之，我们只能按照它们被创造的方式来认识它们；或者说，人本主义的本质就是把组织及其管理的演进，理解为不断地自我理解和自我实现的过程。不过，马斯洛关心的是人本主义的定义、核心和本质，特别是人的精神性存在问题。而德鲁克更关心的是人本主义的实践，强调的是人本主义与效率紧密结合在一起，即人的社会性存在问题。按照马斯洛的理解，人本主义是一种用来巩固和确认我们一直知道和感受到的“自我”和“自我实现”的方式，人的需求具有先天性。德鲁克的理解是，人本主义是一种社会性的追问，应当强调组织及其管理环境对人后天发展的重要作用，强调管理实践对个体在后天发展过程中的决定性影响。

然而，这种“人性之辩”的结果导致了人本主义管理学的确立。参与这场“人性之辩”的有德鲁克、马斯洛和美国

① Peter F. Drucker. Adventures of a bystander (autobiography). New York: Harper and Row, 1979.

② Peter F. Drucker. “Productivity is an attitude.” Nation's Business, April 1952, 40 (4): 34-36.

心理学家、行为科学家道格拉斯·麦克雷戈(Douglas McGregor)[①]。可以说,这几位大师关于人性的分析对管理学的发展产生了深远影响。这几位大师才华横溢,其理论深邃,具有独创性;他们都具有远见卓识,他们对人性的洞见是一种追求真理和社会进步的强大力量,曾经震撼了社会科学界、工商企业界,以及整个文化领域。

美国管理思想史学家丹尼尔·雷恩(Wren,2004)后来评论:“人们并不是理性的,而是由本性支配的,因而通过理解这些本性就可揭开迄今未经探索过的心灵的秘密。”[②]

1954年,是人本主义心理学和现代管理学的奠基之年。标志性的事件是马斯洛《动机与人格》[③]和德鲁克《管理的实践》的先后问世,马斯洛和德鲁克分别被称为人本主义心理学的奠基人(the founder of humanistic psychology)和“现代管理学的奠基人”(the founder of modern management)。

马斯洛在《动机与人格》中首次提出了包括人本主义心理学(humanistic psychology)、需求层次(hierarchy of needs)、类本能需求(instinctoid needs)、约拿情结(Jonah complex)、自我实现(self-actualization)、自我实现者(self-actualized per-

---

① 道格拉斯·麦克雷戈(Douglas McGregor,1906-1964),组织行为理论最具影响力的思想家,人性假设理论创始人。主要著作包括《管理的哲学》《企业的人性面》《经理人员在技术爆炸时期的责任》等,其中1960年发表的《企业的人性面》在管理学领域产生了持续而巨大的影响,被称为“深刻洞悉人性的思想家”。

② Daniel A. Wren. The evolution of management thought. 4th Edition, New York: John Wiley and Sons Inc., August 2004.

③ Abraham Harold Maslow. Motivation and Personality. New York: Harper, 1954.

son）、峰值体验（peak-experience）和协同作用（synergy）等人本主义心理学的重要概念。书中的最后几章，包括了马斯洛的需求层次理论和自我实现理论的精华部分，特别是关于爱、认知、动机等的具体表现方式。英国作家柯林·威尔逊（Wilson，1972）在《心理学的新途径：马斯洛和后弗洛伊德革命》一书中评价："马斯洛最伟大的贡献就在于他发现了所有人都具有一种'高级本性'，并指出了它的实现取决于人们是否意识到自己拥有这种高级本性。……我不知道马斯洛是否意识到了他无意中发现的这一切具有的重大意义。但在我看来。无论马斯洛本人是否意识到了这一点，他的确是在无意中发现了人类下一步进化的秘密。"①

德鲁克的《管理的实践》是一本关于管理性质、原则和企业管理理论的框架性著作，从而奠定了现代管理学的基础，使管理学成为一门独立学科（discipline），这是20世纪诸多学科发展中最为重大的一项。德鲁克将"管理企业、管理经理人、管理员工和工作"三项管理的任务，作为贯穿整本书的主轴和精髓。

德鲁克在《管理的实践》中揭示了人本主义（humanist）②的管理思想，只有"人"才是管理学的主题和全部内容。"管理也是人。"③ 管理学"这是一个以人为主轴的事业。""我更

---

① Colin Wilson. New Pathways in Psychology: Maslow and the Post-Freudian Revolution. London: Victor Gollancz, 1972.

② humanist 这个英文单词最早来源于拉丁文 humanitas，意指人本、人道、人本主义者等。古罗马学者西塞罗（Marcus Tullius Cicero，公元前106年－前43年）曾用拉丁文中的一个词 humanitas 来表征古希腊哲人的教育观：对人进行一种全面的教育，以弘扬纯粹属于人及人性的质量。

③ Peter F. Drucker. The practice of management. New York: Harper and Row Press, 1954.

关心人的行为。""'人'不只是比较有趣，更有着许多不同的形态，也比较有意义，因为人会发展、表露、改变并成为一种新的形态。"① 德鲁克分析了自西方产业革命以来工作与劳动力本身的变化，提出了必须把对人的管理从一种成本中心和一项问题转变成对人的正确领导。

德鲁克强调了人的理想性、价值观及判断力，认为这是组织绩效表现的关键资源。德鲁克（Drucker，1954）认为，组织及其管理需要"一种对人类特性的认识，也就是人类有能力把许多因素成功地整合起来，并加以判断、规划乃至于改变它们。"② 他将人员视为是有血有肉的"完整的人"（a whole man）。他说："每个企业都是由人组成的，这些人具备不同的技能与知识；执行各种不同种类的工作"。德鲁克认为，从写第一本书开始，自己"所写的一切无不强调人的多变、多元，以及独特之处。"③ 依据德鲁克对人的洞察，他提出了"组织是一个特别的工具，一方面'增强'组织成员原有的长处，另一方面抵消成员的缺点，让这些缺点尽量不对组织产生伤害"。"管理的任务，就是要让一群人有效发挥其长处，尽量避开其短处，从而让他们共同做出成绩"。

德鲁克和马斯洛都认为，人的性质对于如何管理人有决定性作用，他们两人都重视人性，重视人的作用，尊重人的自

① Peter F. Drucker. Adventures of a bystander (autobiography). New York: Harper and Row, 1979.

② Peter F. Drucker. The practice of management. New York: Harper and Row Press, 1954.

③ Peter F. Drucker. Adventures of a bystander (autobiography). New York: Harper and Row, 1979.

由，发挥人的积极性。在德鲁克的眼里，“没有一个人是无趣的”。但马斯洛认为，德鲁克有关人的名词太多了，如“灵性人”（spiritual man）、“知识人”（intellectual man）、“经济人”（economic man）、“工业人”（industrial man）、“英雄人”（heroic man）、“完整的人”（a whole man）和“自由与平等的人”（free and equal man）等，以致于我们都不知道应当如何理解和把这些假设运用于管理中。马斯洛看中的却是德鲁克的“有责任心的工人”这个概念。德鲁克强调：“我们必须把工作中的人力当‘人’来看待。换句话说，我们也必须重视‘人性面’，强调人是有道德感和社会性的动物，设法让工作的设计安排符合人的特质。作为一种资源，人力能为企业所‘使用’，然而作为‘人’，唯有这个人本身才能充分自我利用，发挥所长。”① 马斯洛最欣赏德鲁克的话是：“组织就是人的努力。”（corporation as human effort）②

在这一时期，马斯洛的人本主义管理思想逐步清晰，他认为，必须进一步搞清人性的假设，这是人本管理的本质特征。马斯洛认真研究美国组织行为学家克里斯·阿吉里斯的论文“个人与组织”。阿吉里斯（Argyris，1956）提出，一般来说，个人并不像雇主们一度相信的那样，不愿意干工作。相反，工人希望实现自导、自治、自我负责和自我实现。阿吉里斯认为，一个组织并不能保证个人取得这些目标，从而使组织本身也得到好处。阿吉里斯认为这是一个大缺陷，造成这一缺陷的

① Peter F. Drucker. The practice of management. New York：Harper and Row Press，1954. ch. 20.

② Peter F. Drucker. The concept of the corporation. New York：Transaction Publishers，1946.

原因在于组织内缺少人际交往的能力，因而导致人们之间的怀疑和不信任，使组织内缺少坦率的作风和让人放手工作的氛围。阿吉里斯建议，管理部门应发挥个人的全部潜力，改善人与人之间的关系，从而使整个组织更好地发挥作用。[①] 马斯洛认为，阿吉里斯融合了当代和早期学者关于人性假设的观点，与他的“自我实现的人”有相通之处。

1957 年 11 月，美国心理学家、行为科学家道格拉斯・麦克雷戈在《管理评论》杂志上发表了著名的论文“企业的人性面”（The human side of enterprise）[②]。麦克雷戈（McGregor，1957）强调了解人的本性与行为之间关系的重要性，管理者对人性的假设对于如何管理人有决定性作用。麦克雷戈从截然相反的两个角度提出了人性的两种假设：消极的 X 理论（Theory X）与基本上积极的 Y 理论（Theory Y）。麦克雷戈在分析过去的研究时发现，传统的管理观念阐释了独裁式的管理风格，其内核在于较低层次的需要支配个人行为，即消极的 X 理论。基于此，他提出了 Y 理论，阐述了民主式的管理风格，强调“个人目标与组织目标的结合”。麦克雷戈认为，对人性的假设是任何一位管理者都应当熟知并可娴熟运用的。

麦克雷戈根据 Y 理论，提出了激励人行为的具体措施：

（1）分权（decentralization）与授权（delegation of authority）。分权表示给下级一定的权力或职权，让他们能较自由地支配自己的活动，承担责任。授权就是上级管理者将自己的部分

---

① Chris Argyris. “The individual and organization：Some problems of mutual adjustment”. Administrative Science Quarterly，1956，2（2）：1–24.

② Douglas M. McGregor. “The human side of enterprise.” The Management Review，1957，46（11）：22–28.

权力（主要是决策权）授予下级管理者去行使。管理工作中更重要的是，通过分权与授权为人们满足自我的需求创造条件。

（2）扩大工作范围（job enlargement）。扩大工作范围也称为工作扩大化，是指扩大工作的范围（scope），将几种工作纳入一个职务中，使职务具有挑战性。这就要求管理者要为员工提供富有挑战性和责任感的工作，鼓励处在基层的人员多承担责任，并为满足人们的社会需求和实现自我抱负，发挥自己的才能创造条件。

（3）采取参与式管理（participative management）。鼓励员工积极参与决策，尤其在做出与下级管理人员有直接影响的决策时，要给他们发言权，激励人们为实现组织的目标进行创造性的劳动，建立良好的群体关系。

（4）提倡自我评价（self evaluation）。鼓励职工对自己的贡献进行自我评价，使他们为组织目标的实现承担更大责任，有助于员工发挥自己的才能，满足自我实现的需求。①

麦克雷戈显然担心 X 理论和 Y 理论可能被人误解，为了澄清某些误解，从而使这两种假设保持其正确性，麦克雷戈特别提醒应当注意以下几点：

第一，X 理论和 Y 理论的人性假设仅仅是假设而已，它们不是在管理策略方面的规定或建议。说得更正确一点，这些假设必须经受实际的检验。另外，这些假设只是直觉（intuition）演绎出来的，并不是根据研究得出的结论。

第二，X 理论和 Y 理论不含有硬的或软的管理方法。硬的

---

① Douglas M. McGregor. "The human side of enterprise." The Management Review, 1957, 46 (11): 22 - 28.

方法可能引起反抗和敌对，显然不符合 X 理论；软的方法则可能引起在管理上的放任自流，因此不符合 Y 理论。相反，成功的管理人员不仅承认人的局限性，还承认人的尊严和才能，并且根据情况所要求的那样调整他们的行为。

第三，X 理论和 Y 理论并不把 X 和 Y 看成是一个连续阶梯上的两个相反的极端。它们不是程度问题，而是对人的看法完全不同。

第四，Y 理论的讨论不是一个协商一致管理的实例，更不是反对使用权力的辩论。相反，根据 Y 理论，权力是被看成管理人员行使领导权力的许多方法之一。

第五，不同任务和情况，要求采取各种各样的管理方法。有时权力和机构就某些任务来说可能是有效的，因此，“复杂的社会人”的假设可能更恰当。

麦克雷戈强烈推荐发展 Y 理论的主张，以实现“个人目标与组织目标的融合”。麦克雷戈认为，基于 Y 理论假设的管理就应该是“一个创造机会、发掘潜力、消除障碍、鼓励成长、提供指导的过程，这就是彼得·德鲁克所谓的‘目标管理’”。①

1960 年，道格拉斯·麦克雷戈将这篇论文的思想进一步发展，出版了专著《企业的人性面》(The human side of enterprise)。这本书由道格拉斯·麦克雷戈的学生沃伦·本尼斯推荐给了马斯洛，引起了马斯洛的兴趣。马斯洛在与沃伦·本尼斯的讨论中，认为需要一场管理的心理实验来验证各种不同的人性假设，才能构建出人本主义管理学的基本架构。

---

① Douglas M. McGregor. “The human side of enterprise.” The Management Review, 1957, 46 (11): 22 -28.

第四节 “德尔马实验”：管理的心理实验

可以说，就像科学管理的出现之于弗雷德里克·温斯洛·泰罗的“铲铁实验”，人际关系理论的诞生之于乔治·埃尔顿·梅奥（George Elton Mayo）的“霍桑实验”（Hawthorne Experiment），人本主义管理学的开篇之于亚伯拉罕·马斯洛的“德尔马实验”（Del Mar Experiment）。“自我实现型员工”是马斯洛作为心理学家的灵异之物，同时也是打开马斯洛人本主义管理思想之库的一把钥匙，是他心灵深处缱绻与风流的源泉。

美国计算机科学专家安德鲁·凯（Andrew F. Kay, 1919－2014）[①] 是马斯洛的狂热崇拜者。1952 年，安德鲁·凯在美国加利福尼亚圣地亚哥东南郊区的一个小镇德尔马（Del Mar, suburb of San Diego, California）创立了非线性系统公司（Non-Linear Systems, NLS），这是世界上最早的数字仪器制造商（manufacturer of digital instrumentation），生产他所发明的数字电压表（Digital Voltmeter, DVM）。

1954 年，马斯洛出版了《动机与人格》（Motivation and Personality）[②]，安德鲁·凯非常欣赏马斯洛的人格动机理论，在阅读了《动机与人格》一书后，安德鲁·凯立即成为马斯洛的狂热崇拜者。安德鲁·凯认为，他所创立的非线性系统公司的员工，既非传统意义上的蓝领工人和白领职员，又不能简单地用传统管理的“大棒加胡萝卜”的管理手段进行管理，这些员工有着马斯洛所说的“自我实现”的动机。

1960 年起，安德鲁·凯开始了一项激进而意义深远的管理实验——“德尔马实验”（Del Mar Experiment），其理论根据就是马斯洛的《动机与人格》（Motivation and Personality）。当时，马斯洛的理论已经在社会公众中得到认可，但由于缺乏

---

① 安德鲁·凯（Andrew F. Kay, 1919－2014）是计算机科学界的名人，他与贝尔实验室（Bell Telephone Lab）的肖克利（W. Schockley）博士共同发明了晶体管，开启了数字革命。1952 年，安德鲁·凯创立非线性系统公司（Non-Linear Systems, NLS），这是世界上最早的数字仪器制造商（manufacturer of digital instrumentation）。他第一个发明了数字电压表（Digital Voltmeter, DVM）。1982 年，他创办了著名的凯普洛计算机公司（KAY-PRO），是非线性系统公司属下的全资子公司。

② Abraham H. Maslow. Motivation and personality. New York: Harper and Row, 1954.

实验心理学的验证，马斯洛一直渴望自己的理论能够直接进入协作劳动群体及其管理活动。当道格拉斯·麦克雷戈的学生、马斯洛的好友、美国南加州大学马歇尔商学院（Marshall School of Business）的教授沃伦·本尼斯（Warren G. Bennis）将安德鲁·凯的“非线性系统公司”作为一个大实验室来验证马斯洛理论的消息传来，让马斯洛异常兴奋。

这是马斯洛的动机与人格理论首次运用于协作劳动群体及其管理，安德鲁·凯非常相信马斯洛的理论可以令企业焕然一新。安德鲁·凯按照马斯洛的学说，在公司进行了一系列改革创新，如用生产小组——T 小组①代替原来的装配生产线，提高薪金，废除惩罚迟到和生病者的旧规定，为管理人员提供培训等。改革的成果是可喜的，雇员们的精神面貌不仅大为改观，公司的销售和生产能力也大幅度上升。

安德鲁·凯的实践说明了在高度现代化大生产的今天，人们怎样才能学会在协作劳动中如何与人亲密相处，消除人与人之间的隔阂和疏离感。而非线性系统公司是通过组建 T 小组的方式来增进组织成员之间的感情，形成非常亲密的关系，从而消除隔阂和疏离感。沃伦·本尼斯最早到非线性系统公司对安德鲁·凯的实验进行了考察，并将考察结果分别向他的两个好朋友马斯洛和德鲁克进行了报告。马斯洛在他的日记中写道：“有一些鼓舞人心的情况：加州实业家安德鲁·凯和他的精神派的伙伴间关系从性质上看是长远而持久的。同样的，我也很羡慕洛杉矶那十几位人本主义心理治疗家每周的午餐聚会，这

---

① T 小组（T Group）中的 T，有两层意思：一是训练（training），二是团队（tean）。

使他们之间的关系越来越亲密。[1] 沃伦·本尼斯的管理理论（即沃伦·本尼斯报告）暗示了像在我们这种快节奏社会中有可能存在着一种快速的、瞬间即逝，但却真真切切的亲密感。当然，这种观点有自己的合理性。人与人之间的经常相互切磋，共同开发历史、知识和经验的丰富宝藏，正是这些交流给我们带来了更加亲密的生机勃勃的情感。”[2]

在阅读了沃伦·本尼斯推荐的道格拉斯·麦克雷戈（McGregor，1960）的《企业的人性面》（The human side of enterprise）一书后，马斯洛异常兴奋。他在日记中写道：“我的乐观向上的动机与人格理论，还吸引了管理理论界的许多新兴的研究者，其中有麻省理工学院的道格拉斯·麦克雷戈，其里程碑式的著作《企业的人性面》着重阐述了两种不同的管理理论，即认为人天生就是懒惰自私、好逸恶劳的 X 理论，和认为人天生就是勤奋合作的 Y 理论。麦克雷戈的 Y 理论显然是遵循了我的人性观点。”[3]

对于安德鲁·凯的多次邀请，使马斯洛对心理学运用于协作群体的管理之中产生了极大的兴趣。马斯洛决定以德鲁克的“有责任心的工人”和麦克雷戈的《企业中的人性面》的人性

---

① 这些“能够经常见面的”人本主义心理学家包括兰德斯（Rands）、沃伦·本尼斯（Warren G. Bennis）、哈利·盖格（Harry Geiger）、哈利·默里（Harry Murry）等。

② Abraham Harold Maslow. Future visions：The unpublished papers of Abraham Harold Maslow. Edward Hoffman，Ed. California：Sage Publications，1996.

③ Abraham Harold Maslow. Future visions：The unpublished papers of Abraham Harold Maslow. Edward Hoffman，Ed. California：Sage Publications，1996.

假设为理论前提，以非线性系统公司为实验场，对其进行一场人本主义的心理学实验，同时也检验自己的“自我实现的人”在工业生产中的作用。

马斯洛坚信，自己的动机与人格理论提供了一个如何在工作环境中强调自我实现的最有用的模式，这场人本主义的心理学实验一定会找到“人类需求与最佳管理”。马斯洛指出：“最好的管理者应该懂得如何促进被管理者的健康。办法有两个：一是满足被管理者的基本需求，包括对安全感、归属感、情感关系、友谊关系的需求，以及对声望和自尊的需求。二是满足他们高层次的动机或需求，比如，对真、善、美、正义、完美及规律的需求。”①

1962 年 6 月，马斯洛应安德鲁·凯的邀请，来到这家位于南加州圣地亚哥东南郊区的小镇德尔马（Del Mar）生产商用数字电压表（Digital Voltmeter，DVM）的电子公司参观访谈，考察了他的动机与人格理论在管理中的实际运用情况。马斯洛发现，非线性系统公司的老板安德鲁·凯已经根据 Y 理论的原则重新组织了工作环境。在非线性系统公司中，员工的创造性、合作精神和自主精神得到了最大的激励，非线性系统公司非常重视员工的培训和技能的发展，甚至还特设了一个“革新副总裁”的职位。马斯洛的工作就是要以非线性系统公司为经验实例，检验一场人本主义心理学的实验效果。

马斯洛认为，这场人本主义的心理学实验是要找到：“什

① Abraham Harold Maslow. Future visions: The unpublished papers of Abraham Harold Maslow. Edward Hoffman, Ed. California: Sage Publications, 1996.

么样的工作环境、什么样的工作、什么样的管理，以及什么样的酬劳或待遇，才能让人声誉日隆，以达到更加完满和臻于至善的境界。建立在不完备的激励理论基础上的古典经济学，如果承认存在更高层次的人类需求，包括自我实现的驱动和对最崇高价值的热爱，将会有颠覆性的变革。”

应当看到，在这场人本主义的心理学实验中，虽然马斯洛和安德鲁·凯有一点理想主义，但这场实验对人们理解人本主义的管理学是有助益的。对于自我实现型员工来说，重要的工作目标至少有 13 个：

（1）成为工作的次要推进者。

（2）有自决权。

（3）自在地支配本人的举动。

（4）能够全程参与某项计划（从计划、执行到完成）。

（5）对成功有所期待。

（6）喜欢或至少乐意担任，尤其是对本人的责任。

（7）自动而不是被动。

（8）做一个人而不是一个东西。

（9）体验本人做主的自我。

（10）体验自主性。

（11）体验自发性。

（12）体验独立性。

（13）本人的能力获得别人的认可。

在非线性系统公司考察期间，马斯洛做了详细的观察记录，他阅读德鲁克、麦克雷戈和沃伦·本尼斯等管理学家的最新管理学论述，不断思考如何提高员工积极性的方法、集体决策和领导心理学等问题，并写了读后感。此时，一部书稿在马斯洛的头脑中逐渐成形，其内容包括提高员工积极性的方法、集体决策和领导心理学等广泛课题。马斯洛还讨论了自己在位于加州普里山顿的马斯洛制桶公司当经理和推销员的一些亲身经历，正是从马斯洛制桶公司和非线性系统公司这些具体的人物身上，他发现了人格的健康与人格的力量。

马斯洛将自己的日记称为关于“开明管理”（open management）的实验日记，这些日记于1965年整理出版，成为一本叫作《良好精神状态的管理》（Eupsychian Management）①不起眼的小册子。该书从心理学的角度论述人本管理的重要性，阐述了著名的人本管理理论，以及他对于经济学和管理学的心理学思考。或许最重要的是马斯洛详细阐述了“协同作用”这一概念，这个概念最初出现在美国著名文化人类学家露丝·本尼迪克特（Ruth Benedict）1941年末发表的演讲稿中，用来褒奖协作，而协作应当能够成为工业大生产条件下使全体成员受益的一种文化模式。

事实上，马斯洛很早就发现研究职业生涯中人的重要性，因为今天的社会已经不同于前现代社会，是德鲁克所告诉他的现代社会是“组织的社会”（the society of organizations），人的一生差不多有一半时间是在盈利性组织或非盈利性组织中度过的。在这些时间中，人们在职业生涯中是否存在着幸福感和满足感，在相当程度上关系着组织效能的高低。但现实生活却令

① Eupsychian是马斯洛自创的一个名词，Eu是希腊文的一个词头，意为“良好”“美好”，psychian为“精神的”“心灵的”“灵魂的”。Eupsychian可以译为“良好精神状态的”。其正式定义为由一百个自我实现的人合作所建立的企业管理制度。这一百个人把积蓄集中起来，投资到这个企业，每个人都有同等的发言权。

人失望，马斯洛认为，“99%的美国人是在管理最差劲的组织中度过了他们的有生之年”。

马斯洛的《良好精神状态的管理》，对人本主义管理学的奠基具有划时代的意义，马斯洛的观点非常具有预见性。他指出，随着企业员工的自主性、自尊和教育程度的提高，开明管理将越来越必要，并将取代专制的管理制度。这股潮流迟早会席卷整个世界，专制主义终将让位于人本主义精神。

马斯洛的人本主义管理学带给我们的不是具体的管理方法和管理工具，而是一种心灵上的净化和升华，这一点对于今天的管理者似乎更有现实意义。我们应该反思的是为什么各种看似美妙的方法却并不能取得预期的效果；为什么许多类似人的精神状态与价值观等看似虚无缥缈的东西，却能够带来我们无法想象的神奇力量和高昂的士气；为什么我们试图解决组织与人的矛盾，但矛盾却越积越深；为什么我们希望员工对组织忠诚，而员工与组织却日益疏离。马斯洛要追问的是：是人类自私的本性造成这种局面，还是我们对人性错误的看法带来的恶果？

从本质而言，马斯洛良好精神状态的管理是一种人本主义的管理思想。他为管理理论注入了不同于从业务流程、车间生产入手来分析管理问题的新鲜血液。遗憾的是，作为一本管理学著作，本书是不完整的、不系统的，更像是“随意组合的思想片段和理念轮廓，就像画家的草稿或小提琴手的指法练习”。如果从管理学思想体系的完整性上看马斯洛的“良好精神状态的管理”，马斯洛的人本主义思想是不完整的或不系统的，没有一个完整的架构。但不可否认，这场心理学实验对人本主义心理学在管理上的应用、人本主义管理学的理论构建和思想深度的拓展，闪耀着思想火花和理论的胎动与萌芽。

第五节　人本主义管理学的奠基

今天，人们公认《良好精神状态的管理》（Eupsychian Management）是人本主义管理学的奠基之作。马斯洛所说的“良好精神状态的管理”广义上是指一种开明的管理。在一个组织内，每个人的成长和创造力的发挥与这个组织的产品或者服务质量乃至整个组织的健康发展都密切相关。

为什么管理需要“良好精神状态的管理”呢？马斯洛在日记中写道：“我们今天面对一个重要问题，就是学会如何与人亲密相处，消除人与人之间的隔阂和疏远感。我在《良好精神状态的管理》中注意到T小组实质就是组织成员之间感情非常密切的小组。他们教人们或试图教人们重新获得他们前辈与他们亲戚、邻里和附近农场、村庄里的人们所拥有的那种持久的、稳定的、长期的并且是不可分离的关系。现在，我们几乎只有由两代人组成的分离的原子式家庭。”“在当前，这种‘社会情感问题’是每一个乌托邦式或优心态式的思想家必然要面对的。人们感到一些基本需求未能够得到满足。这些需求包括对共处、亲近或是那种根植于心的关系的渴望。而那种根植于心的关系是不可分离的，并且持续一生，不但有欢乐，同时也负有各种义务的责任。”马斯洛认为，对亲密感的渴望是一种永恒的需求，对T小组的描述是生动的案例，它找到了重新获得某种道义上的亲密感、诚实、自我表露（self-exposure）、反馈方法及它们所带来的积极后果。①

马斯洛认为，良好精神状态的管理是未来企业发展的方向，他对此抱有非常乐观的态度。“老的管理正在过时……人们达到的层次越高，人们的心理就越健康，为了在竞争中获得胜利，开明管理政策就越有必要，独裁主义者的企业就越容易破产……”良好精神状态的管理假定每个人都想成为积极的行动者，而不是被动的谋生者。

马斯洛自创的“良好精神状态的文化”（Eupsychia）一词用于描述“一千个自我实现的人在一个孤岛上所形成的文化”。在广义上是指在人性许可的范围内，人类能达到的最完美的社会，这种社会能够满足人类的基本需要，还能为每个成员提供自我实现的机会。而“良好精神状态”（Eupsychian）或“优心态”是指朝着良好精神文化发展的状态，也就是可

---

① Abraham Harold Maslow. Future visions：The unpublished papers of Abraham Harold Maslow. Edward Hoffman，Ed. California：Sage Publications，1996.

达到的健康心理发展。它指的是一种切实可行的改良，而不仅仅是乌托邦；也指能够使人更加健康的社会或者组织条件；还可以指教师，心理治疗家或管理者推动，鼓励这种运动而采取的行动。

马斯洛在书中自称这是一个搞理论的心理学家初次打量管理学领域，但他认为人本主义管理学是“新手经常会看到老手忽略掉的东西”。在这一点上，马斯洛非常谨慎，他认为，由于对所需要掌握的关键信息还“一无所知”，很多假设还没有得到充分的证明，自己倡导的开明管理只能称之为“科学事实”。①

马斯洛在书中论述了“开明管理”（open management）的思想，并阐释了企业组织“协同”（synergy）的思想。② 他提倡管理者与其“团队”分享权力并追求“持续改善”（continues improvement）。马斯洛认为，任何组织的管理问题都可以用一种新方法加以解决，建立起某种环境条件，使个人目标与该组织的目标结合起来，即无论何种管理都应以人为本。

马斯洛一直试图回答两个问题：人类的本性能够允许怎样的一个社会？社会能够允许怎样的人类本性存在？马斯洛的观点具有颠覆性、穿透性和准确的预见性。马斯洛创造性地提出了需求层次（hierarchy of needs）、自我实现（self-actualiza-

① Abraham Harold Maslow. Eupsychian management. Homewood，Illinois：Irwin and Dorsey，December 1965.

② 协同作用（synergy）是由美国著名文化人类学家露丝·本尼迪克特（Ruth Benedict，1887－1948）在1941年提出并由马斯洛详细阐述的概念，可以用来概括不同的文化。在高协同的文化中，对某个人有益的，同时也对大家有益，反之亦然。

tion)、协同(synergy)、峰值体验(peak-experience)[①] 等人本心理学(humanistic psychology)的主要内容,清楚地表明了管理的核心就是以人为本。然而,马斯洛却非常担心自己的研究结论被人们轻易接受。他说:“我们必须强调进行更多研究的必要性。”很显然,马斯洛并不希望有众多盲目的追随者,而是希望建立一门严谨的学科。这种谨慎的态度,反映了马斯洛的实证主义精神,以及怀疑、自我怀疑的态度。在他看来,民主管理也是一场实验,并不能将心理学结论简单地用于管理,这样做具有不可靠性。

第一,马斯洛强调人本主义管理学尊重个人,强调自我实现,主张以最简单的方式对人类劳动、生活和谋生的方式进行合适的管理,认为合适的管理是一种理想化的或革命性的技巧。马斯洛认为,随着企业员工的自主性、自尊和教育程度的提高,开明管理越来越必要,并将取代专制的管理制度。马斯洛强调,专制性格是一种心理失常。他说:“专制性格是折磨当代人的最重要的疾病——比医学上的疾病更重要……在所有疾病中传播最广的……蔓延全球……甚至在美国,甚至在这间教室里。”追求自我实现的人,其思想应是民主的,而不是专制的。这股潮流迟早会席卷整个世界,专制主义终将让位于人本主义精神。

第二,马斯洛认为人本主义管理学能够推进良好精神状态

---

① 峰值体验(peak-experience)是马斯洛人本主义心理学的一个术语,通常指一种短暂的狂喜、入迷、出神,极大的幸福感和愉快。在这种短暂的时刻里,我们能感受到敬畏、崇拜和奇妙的心情。体验到此时此刻以及真实而统一地存在的感觉,同时也体会到超越与神圣。这种体验多发生在自我实现者身上。

的管理和协同管理，要修改在大型组织里一直起作用的那种顺从性的行为，让人们在一个公司里保持自己的个性，使工作不成为一种工作，而成为自己喜欢的娱乐。马斯洛认为，人本管理就是要激发员工潜在的创造力。成功的管理者应该首先注重开发自己的天赋，挖掘自己的创造性潜能，进而培养和激发员工的创造力。在开发创造力上，管理者需要了解每个员工所持有的才能，在充分了解员工后，管理者需要进行组织安排，调整员工的工作岗位，培养他们的创造性。尽可能排除一切不利于发挥创造力的阻碍因素，给员工足够发挥的空间。除此之外，还需要为员工发挥创造性提供有保障的环境，人们往往出于害怕失去基本的安全、生存需要而囿于已有的习惯模式，只有为他们提供了适当的保障、满足基本的需求，才有利于员工放开手脚，大胆尝试。

第三，马斯洛认为，人本主义管理学盛赞协同，主张一个追求自身利益的人，同时也自动帮助了别人；无私奉献帮助他人的人，同时也得到自我需要的好处。马斯洛发展了文化人类学家露丝·本尼迪克特（Ruth Benedict）协同的概念，将原意为在某种文化氛围内，合作不仅能够得到回报，还能使全体成员受益的思想，扩展协作劳动的管理方面，成为处理人际关系的基本原则。他指出："实际上，人们的利益是可以一致的，而不是相互排斥，这种情况可以从任何一对美满的夫妻、成功的事业伙伴那里观察到。"工厂的组织和工人的利益能够通过开明的管理方法统一起来。

第四，马斯洛认为，人本主义管理学极力主张不要将权力赋予"为得到权力而追求权力的人"。①

在《良好精神状态的管理》一书中,马斯洛的观点鲜明地指出,德鲁克的"有责任心的工人"和麦克雷戈的《企业中的人性面》人性的假设中只有 Y 理论是合理的观点是错误的。马斯洛不容反驳地说:"企业需要采取不同的方式管理不同的人。"② 德鲁克(Drucker, 1999)后来写道:"我立即改变了我的观点,马斯洛的证据简直无法抗拒。"③

① Abraham Harold Maslow. Eupsychian management. Homewood, Illinois: Irwin and Dorsey, December 1965.

② Abraham Harold Maslow. Eupsychian management. Homewood, Illinois: Irwin and Dorsey, December 1965.

③ Peter F. Drucker. Management challenges for the 21st century. New York: Harper Press, 1999, 16-17.

第六节　马斯洛与德鲁克的人性之争

马斯洛在非线性系统公司对德鲁克“有责任心的工人”（responsible workers）理论进行了实验检验，结果失败了。

在《良好精神状态的管理》一书中，马斯洛非常严肃地批评了德鲁克的理论假设：“德鲁克凭直觉得出的关于人类本性的结论与第三势力心理学家们所持的观点相似，但他对科学心理学、临床心理学或职业社会心理学等却一无所知。”“科学心理学中有丰富而宝贵的数据资源，我猜测德鲁克及其同僚只是粗略浏览了一下科学心理学的内容，就不假思索地将其忽略了。问题在于他们在抛弃心理学中一些糟粕的同时把不少精华也扔掉了。”① 这里，马斯洛似乎抓住了德鲁克管理理论的

① Abraham Harold Maslow. Eupsychian management. Homewood, Illinois: Irwin and Dorsey, December 1965.

软肋：永远不缺乏吸引人的结论，却缺少严谨的科学论证过程。

马斯洛对德鲁克进行的批评主要集中于两个方面：

一是德鲁克、麦克雷戈等人把注意力过多地集中于工业化的工作场地，很少关注人的因素。马斯洛（Maslow，1965）并不否认工作场地或组织的重要性，但他认为，“工业化的工作场地也许只能够当作心理动力学研究、高级人类发展研究和人类思想生态学研究的新实验室。”

二是马斯洛认为德鲁克的目标管理是基于“有责任心的工人”的假设，实际上隐含了“每个人都是成熟的人”这样一个心理学命题，要求每个工人成为“有责任心的工人”是违背了人的基本特性的。马斯洛批评道：“如果我们有一些进化良好的人类能够成长，并且很急切地要求成长，那么在这样的地方，彼得·德鲁克的管理原理就好像很不错。这些原理是有用处的，可是也只能在人类发展的顶层才有效。”这是因为德鲁克天然地假定这些人已经满足了各种较低层次的需求，而能够激励他们的只能是自我实现这个最高层次的需求。马斯洛甚至认为，在德鲁克那套管理思想中暗含着 36 个基本的假定，而他的那些管理原则事实上“可能起作用的只是那些相对健康的人、相对坚强的人、相对优雅和善良的人、有德行的人”。①

马斯洛指出，德鲁克的“有责任心的工人”和麦克雷戈的 Y 理论提出的要求超出了一般人的能力，只有最坚强、最健康的人才能承担。这个世界并不是完全由成熟的人组成的，其

① Abraham Harold Maslow（1968）. Toward a psychology of being. 3rd Edition，New York：Harper and Row，November 1998.

中还有永远都不会成熟的人。①

马斯洛（Maslow，1968）指出，德鲁克的目标管理基于“有责任心的工人”的假设，实际上隐含了“每个人都是成熟的人”这样一个心理学命题。马斯洛证明现实生活中只有少数人在心智上符合“成熟”的标准，所以要求每个工人成为“责任心工人”是违背了人的基本特性的。② 马斯洛（Maslow，1965）认为，德鲁克的管理思想主要存在两个问题：一是他轻视了选择合适的个体来实现他的管理原则的必要性；二是他忽视了邪恶的存在、病态的存在，还有一些人身上普遍的恶劣性的存在。③

马斯洛（Maslow，1965）在《良好精神状态的管理》中认为，“德鲁克谈论了太多有关‘责任’的问题，喜欢人们负责任。同时引入许多实例来证明，和以前比较起来，愿意多负一点责任的员工，他们的工作表现反而更好。对于在德鲁克心目中那些人格较成熟及心理健康的人，当然会出现上述结果。然而，我们必须指出，并非所有的人都属于这种类型……很明显，我们必须比德鲁克观察得更透彻……只有少部分员工属于这一类型。”④

马斯洛指出，个性的多样性是客观存在的，不能牺牲个人

① Abraham Harold Maslow. Eupsychian management. Homewood, Illinois: Irwin and Dorsey, December 1965.

② Abraham Harold Maslow (1968). Toward a psychology of being. 3rd Edition, New York: Harper and Row, November 1998.

③ Abraham Harold Maslow. Eupsychian management. Homewood, Illinois: Irwin and Dorsey, December 1965.

④ Abraham Harold Maslow. Eupsychian management. Homewood, Illinois: Irwin and Dorsey, December 1965.

特性去迁就社会特性，不能将管理制度建立在“每个人都是具有责任心的人”这种假设基础之上，它不能赋予所有的工人不应承担也不能承担的心理压力。因此，“有责任心的工人”的概念太过完美了，德鲁克所倡导的目标管理是一种“理想管理”。然而，这个世界上还有很多的工人现在更需要被人尊重，甚至仅仅需要活下去。这种情况下，用泰罗的“科学管理”或者再加上梅奥的“行为激励”对他们进行管理或许更有效。这里，最具讽刺意味的是，作为管理学家的德鲁克曾经劝慰管理人员不必成为心理学家，但他自己却成为心理学家批评的对象。

面对多年好友马斯洛的批评，德鲁克不愿意正面回应。他在与沃伦·本尼斯等少数几个管理学家私下的对话中多次谈到自己的看法，并在多部著述中不点名的回应了马斯洛的诘难。在德鲁克眼中，他与马斯洛都是人性的守护者，他们只不过是从不同的角度讨论了如何将人从泰罗科学管理的桎梏中解脱出来，他们都强调人是管理最重要的对象，纵使工业文明高度发达，人性也不应被泯灭。

在德鲁克看来，马斯洛的有关人性的理论（theories about human nature）和道格拉斯·麦克雷戈的 X－Y 理论过分强调了人性对人的行为的影响。麦克雷戈认为科学管理以 X 理论为基本假设，现代管理则以 Y 理论为基本假设。德鲁克并不同意麦克雷戈和马斯洛的看法，德鲁克认为，人的行为主要受环境影响，而不仅仅取决于麦克雷戈或马斯洛的人性。如果说人的行为主要是由人性引导，也是人的内在原因引起人的行为的，是主动采取行动的。德鲁克反驳道：“马斯洛的人性解释与事实不符，大多数人的行为只是对环境做出的被动反应。”因此，德鲁克认为激励和动力主要来自外界，不是人性，而是工作结构和工作场地决定了人们的反应及相应的管理方式。简言之，只有 X 管理方式和 Y 管理方式，而没有 X 人性和 Y 人性。

我们认为，马斯洛说德鲁克忽视了一些人身上普遍的邪恶存在、病态存在，由此得到的推论就是工人没有“责任心”，没有自信心和不敢承担责任，这就是马斯洛在他心理学中多次讲到的具有“约拿情结”（Jonah complex）的人。“约拿情结”是马斯洛从《圣经》人物约拿（Jonah）引申出的情绪状态，它反映了人在认知方面的一种“对自身伟大之处的恐惧”，并导致人们不敢去做自己能做得很好的事，甚至逃避发掘自己的潜力。在日常生活中，“约拿情结”可能表现为缺少上进心，或称“伪愚”（pseudo-stupidity）①。马斯洛本人多次强调管理就是要把人从“约拿情结”中解救出来，做一个自信的人，做一个勇于做好事情的人。而这样的人，首先就是德鲁克所说的“有责任心的工人”。由此看来，马斯洛是以自己的矛在攻自己的盾。

事实上，“有责任心的工人”就是马斯洛的超越性动机状态（meta-motivation）。这是一种渴求存在价值，如真理、正义完满的动机状态。这是自我实现者（self-actualized person）的主要动机状态。人的责任，它所满足的是一种超越性需求（meta-needs）。马斯洛（Maslow，1954）认为，超越性需求就是人们天生的除基本需求满足后，仍然有一种存在性价值的需

① “伪愚”（Pseudo-stupidity）是马斯洛创造的一个心理学术语，它是指一种认知方面的病态，它是“约拿情结”（Jonah complex）的一种表现，其特征是对自身智力的一种抵制或否定。

求，它虽然不强烈，但如果失去，就会导致超越性精神疾病（meta-pathologies）或灵魂病态。①

在我们看来，德鲁克“有责任心的工人”的假设，反映了他一贯的思想：人不仅想要工作，想要从工作中得到成就感，他们更需要工作。德鲁克对工作动机解决方案是授权给员工的“超我”（superego），促使员工自行对抗那些不当的观念和行为。也就是说，让员工承担适当的工作责任，是要让他们了解自己并不是整天都很认真地做事，而且大多数员工都是如此。“有责任心的工人”一直是德鲁克终身追寻和研究的目标，从他第一本管理学著作《公司的概念》开始，德鲁克一生追求企业应该培养“有管理能力”的、“有责任心的工人”（responsible workers）和一个“自我管理的工厂社区”（self-governing plant community）。在《新社会：对工业秩序的剖析》中，德鲁克（Drucker，1950）提出：工人要做的是以经理的姿态看待工厂。只有这样，他才能认识到自己的职责。② 在《后资本主义社会》中，德鲁克（Drucker，1993）回顾到："40 年前，我想工厂社区将在工作场所中出现，在 1942 年的《工业人的未来》、1950 年的《新社会：对工业秩序的剖析》和 1954 年的《管理的实践》中，我称之为赋予个人地位、作用和自治责任的地方。这正是日本曾经在相当程度上实现的事情。但即使在日本，工厂社区也不会在今后很长时间里发挥作用。至少对知识工作者（knowledge worker）来说是如此，日

---

① Abraham H. Maslow. Motivation and Personality. New York: Harper and Row, 1954.

② Peter F. Drucker. The new society: The anatomy of industrial order. New York: Harper Press, 1950.

本工厂社区与其说是建立于归属感之上，不如说是建立于害怕被工厂社区抛弃的恐惧之上。工厂社区在西方则从未扎根。我仍然坚持认为，雇员必须拥有最低限度的责任和自治。个人尤其是知识工作者，需要富有意义的社会生活。”①

德鲁克希望以亚里士多德式的“责任”取代暴君式统治，作为促使员工努力工作的动机。这需要将管理权力下放，让员工能够达到自我控制的境界，就向高层经理人对中层经理人授权一样。“授权是增强组织成员间自我效力（self-efficacy）感觉的一个过程。”② 员工享有的权力越大，越有利于提供他们完成工作的激励水平，因为员工一旦拥有了更多的权力，就能够更好地提高自己的工作效率，自主选择最适宜的工作方式，并充分发挥自己的创造力。③ 1996 年在接受著名财经记者理查德·唐金（Donkin，1996）的采访时，德鲁克以严厉的语气说道：“不管员工想不想承担责任，公司都应该要求他们承担责任。”德鲁克认为，目标管理——“它仅仅是一个管理工具，绝不是治疗管理疾病的灵丹妙药。目标管理只是当你真正知道自己目标时才会发挥作用。不幸的是，90% 的情况下，你并不知道自己的目标是什么。”④

---

① Peter F. Drucker. Post-capitalist society. New York：Harper Business，1993. 170 – 180

② Edwin P Hollander & Lynn R. Offermann. “Power and leadership in organizations.” American Psychologist，1990，45（2）：179 – 189.

③ Jay A. Conger and Rabindra N. Kanungo “The empowerment process：Integrating theory and practice.” Academy of Management Review，1988，13（3）：471 – 482.

④ Richard Donkin. “Interview with Peter Drucker.” Financial Times，14 June 1996.

德鲁克不愧是借力打力的太极高手，他擅长把对手的观点分化瓦解，以其之矛攻其之盾。对于马斯洛的诘问，德鲁克在他的著述中并没有单独地谈人性，而是把人性看成一个相对性的概念，其对立面就是“非人性”（dehumanization），这两者并不是毫不相干的事物之间的对抗，而是彼此关系性的缺失。组织及其管理是一个有机性的整体，彼此之间并不是毫不相干，而是先天存在某种关系，问题的关键在于我们如何看待和利用这种关系。组织及其管理中处处充满冲突，是因为彼此之间的关系不够和谐，或者说协调程度不够。造成这一现象的原因在于缺乏教育、相互之间的了解和人性关怀不够。“非人性”不是独立存在的，它是一个“人性”的“缺失”（absence）。道·琼斯公司（Dow Jones & Co. Inc.）董事长彼得·麦克弗森（M. Peter Macpherson）评论：“每个人都认同‘人是我们最重要的资产’，可是真正做到的人却少之又少。”

在德鲁克的著述中隐含着这样一个追问：“人性在哪里?”德鲁克认为，马斯洛自造的“eupsychian”一词反映了人本主义希望有一个“与世隔绝”的“避风港”或“孤岛”，以便让个体得到“自由”的发展。因此，马斯洛的人性具有强烈的乌托邦色彩，人性作为一个实现我们全球未来的生动蓝图，必须考察其现实性。

在德鲁克看来，人性并不是独立存在的，纯粹的人性并不存在，人性是存在于组织及其管理之中的。追求人性与追求效率两者之间有矛盾，但也有相通的地方，人性与效率不可分离的。德鲁克（Drucker，1973）认为，马斯洛等支持 Y 理论的心理学家实际上是以说服代替命令，通过心理操纵来控制，是心理学的 X 理论。这种新 X 理论抛弃了人是懒惰的假设，取而代之以这样的假设：除了经理人是健康的、正确的之外，其他人都是脆弱的和愚蠢的。[①] 德鲁克（Drucker，1954）指出，如果一个经理人从一开始就假设人们是软弱的、不愿承担责任的、懒惰的，那他就会得到一些软弱的、不愿承担责任的、懒惰的人，他败坏了人。如果一个经理人假设人们是坚强的、愿意承担责任的、愿意做出贡献的，他可能会遇到一些令他失望的事情。但是，经理人的职责就在于从一开始就假设人们，特别是管理人员和专业人员是想有所成就的。[②] 德鲁克有一次面对一群公司高层管理人员演讲：如果大家的公司里面有一些"死木头"，请他们举起手来。很多人都举起了手。德鲁克接着问："那些人是在你面试他们并决定聘用他们的时候就是'死木头'，还是后来才变成'死木头'的?"

德鲁克的回答是，人性存在于组织及其管理过程中，存在于经理人员的效率中。德鲁克（Drucker，1973）指出："人们如何行动以及要求什么样的管理，并不是取决于人性，而是取决于职务和工作结构。"[③] 这里，德鲁克关于人性的看法与马克思的定义是一致的：人的本质不是单个人所固有的抽象物，在其现实性上，它是一切社会关系的总和。德鲁克强调："组织是一种特定的工具，它可以使人的优点发挥作用，使人的弱

---

① Peter F. Drucker. Management: Tasks, responsibilities, practices. New York: Harper and Row, 1973. 252.

② Peter F. Drucker. The practice of management. New York: Harper Press, 1954.

③ Peter F. Drucker. Management: Tasks, responsibilities, practices. New York: Harper and Row, 1973. 242.

点被中和，并在很大程度上化为无害的东西。”① 希望个体自由地追求自己需要的马斯洛似乎没有觉察到个体的一些需要，而这些需要是由他存在的社会组织环境的灌输养成的。

对于马斯洛的人性理论这种难以掌握的心理学工具，德鲁克的看法十分明确：经理人不需要成为心理学家，经理人不必为心理学家所迷惑，因为经理人必须关注行动和成果，而不是注重情绪和内省。经理人必须坚信确实有一些人是渴望成就的，但同时必须给另一些人以 X 理论的安全感，给他们以指导和照顾。马斯洛与德鲁克多年的挚友，美国南加州大学马歇尔商学院教授沃伦·本尼斯（Bennis，2006）认为，马斯洛所倡导的“良好精神状态的管理”还没有完全实现，这当然与管理实践仍有待发展和进步有关，毕竟，要实现马斯洛的“灵魂的民主性”（the democracy in soul）是一项十分艰巨的任务。②

事实上，马斯洛本人对自己的理论用于管理并不是底气十足，他在日记中写道：“这些理论正在被奉为真理，然而它们还没有接受可靠性和有效性的真正检验。实际上，这些理论从临床转到工业确实是前进一步，但却显得过于热情和乐观，还很不成熟。但在安迪·凯（Andy Kay）③ 看来，好像所有证据

① Jack Beatty. The world according to Peter Drucker. New York: Free Press, 1999. 1160.

② Warren Bennis. Moral leadership: The theory and practice of power, judgment and policy (Warren Bennis Signature Series). Warren G. Bennis, Deborah L. Rhode (Editor), San Francisco, California: Jossey-Bass, June 2006.

③ 安迪（Andy）是安德鲁（Andrew）的昵称，在马斯洛《良好精神状态的管理》（Eupsychian Management）一书中，马斯洛总是称他为安迪（Andy），以至于许多中国学者都不知道他的教名（first name）是安德鲁。

都已包含在这个理论中，它们已被科学证明过了。”[1]

事实上，德鲁克对马斯洛的管理者与其“团队”分享权力并追求“持续改善”和麦克雷戈的分权（decentralization）与授权（delegation of authority）、扩大工作范围（job enlargement）、采取参与式管理（participative management）和提倡和鼓励员工自我评价（self evaluation）的观点是极为赞赏的。马斯洛提出人人都情愿当一个完整的人（the whole person），而不是当一个支离破碎的人，不愿充当一个物件或者一个补充物，不做一件工具或者仅仅一双“手”。人们情愿工作而不愿赋闲。我们必须假定智慧的存在和自我选择的能力。假定每个人都值得信任的人本主义假设，德鲁克回应道：“人是我们最重要的资产”，[2]“企业雇佣的不是一个人的手，而是整个人”。[3] 德州仪器公司（Texas Instruments）董事长马克·谢泼德（Mark Shephard）对马斯洛和德鲁克的说法深表赞赏，他认为，人性就是每个员工都“被视为创意的源头，而不只是一双手而已”。IBM 前任董事长小托马斯·沃森（Thomas J. Watson, Jr.）指出：“IBM 的哲学有三个简单的理念。我从最重要的讲起：尊重个人。这是一个简单的概念，不过 IBM 管理层却花很多时间实践这个原则。”在《马斯洛论管理》（Maslow on Management）一书的封面上，德鲁克向人们推荐：“这是马斯洛最重

---

① Abraham Harold Maslow. Eupsychian management. Homewood, Illinois: Irwin and Dorsey, December 1965.

② Peter F. Drucker. Management: Tasks, responsibilities, practices. New York: Harper and Row, 1973. 480.

③ Peter F. Drucker. The practice of management. New York: Harper Press, 1954. ch. 20.

要、最不朽的著作，给我带来过终生影响。”①

在我们看来，德鲁克与马斯洛都是人性论的存在主义者，他们的区别在于：德鲁克所说的人性是一种社会性的存在，而马斯洛所说的人性是一种精神性的存在。德鲁克对马斯洛的追问是：离开了社会现实基础（社会性的存在），人性（精神性的存在）还能够独立存在吗?

美国心理学家赫兹伯格、莫斯纳和斯奈德曼（Herzberg, Mausner, and Snyderman, 1959）的研究得出了与德鲁克人本主义思想类似的结果。赫兹伯格论证了最有力的激励因素（motivation factor）是以工作为中心的，即激励因素与工作本身、个人的工作成就、工作责任感、通过工作获得的晋升和承认等都有直接关系。② 在德鲁克看来，工作、效率本身就寓于人性，而赫兹伯格更加明确地指出：“工作本身就是激励，就是人性”。英国伦敦戈德史密兹大学（Goldsmiths University）社会学教授戴维·西佛曼非常赞同德鲁克的看法，他（Silverman, 1970）指出，管理心理学家们太注重描绘应该发生什么，而忽视了正在发生些什么。③

如果仔细分析马斯洛的需求层次论，可以发现他的理论是建立在两个原则的基础上。

第一个原则是不满足原则（deficit principle）。不满足原则指出人不会为已经满足的需求而工作。即只有未得到满足的需

---

① Abraham Harold Maslow. Maslow on management. New York: Wiley, 1998.

② Frederick Herzberg, Bernard Mausner, and Barbara Snyderman. The motivation to work. New York: Wiley, 1959.

③ David Silverman. The theory of organizations. London: Heinemann, 1970.

求才具有激励行为的作用，已被满足的需求，不再具有激励行为的作用。一般情况下，只有低层次的需求得到满足，高层次的需求才有足够的活力去驱动行为。

第二个原则是渐进原则（progression principle）。渐进原则指出人的五种需求是以台阶的方式排列的，必须满足低层的需求，上一阶层的需求才能成为工作的动机。人的需求是随经济条件的变化而改变，多数人的需求网络是复杂的，任何时刻都有许多需求因素影响着每个人的行为。但满足高层次需求比满足低层次需求的途径更多。在马斯洛看来，当人们追求自我实现的需求时，就不再把重点放在生理需求和安全需求等低层次需求上了，而是要为个人抱负、个人价值的实现去寻求挑战，人们就自然升华到“更高的层次”，这就是马斯洛所说的“峰值体验”（peak experience）。①

马斯洛被德鲁克称为“人本主义心理学之父”，但德鲁克并不同意马斯洛的需求层次论，批评马斯洛没有看到“需求在满足的过程中已经改变”。“当一项需求接近被满足时，其提供回报的能力和作为激励的效果将迅速消失”。因而高层管理人员的报酬再多，他们也不会满意。通常对麦克雷戈的 X 理论和 Y 理论的差异性分析，表现出对人的本性问题的传统看法和行为科学看法，其差异在于每个管理人员对其下属需求的不同看法上。麦克雷戈的人的本性理论若从马斯洛的需求层次理论（Maslow's Hierarchy of Needs Theory）② 的框架基础上分析：X

① Abraham H. Maslow. Toward a theory of being. New York：Harper and Row，1968.

② Abraham H. Maslow. “A Theory of Human Motivation”. Psychological Review，July 1943，50（4）：370 - 396.

理论对人性的假设是从较低层次的需求支配着人的行为；Y 理论对人性的假设则是从较高层次的需求支配着人的行为。

一般来说，需求可以分为低层次（lower-order needs）和高层次（higher-order needs）两种。从这个意义上看，赫茨伯格的双因素理论（Herzberg's Two Factors Theory）同马斯洛的需求层次论有相似之处。赫茨伯格提出的保健因素（hygiene factor）相当于马斯洛提出的生理需求、安全需求、感情需求等较低级的需求，激励因素（motivation factor）则相当于受人尊敬的需求、自我实现的需求等较高级的需求。当然，他们的具体分析和解释是不同的，但这两种理论都没有把“个人需求的满足”与“组织目标的达到”联系起来。

从哲学意义上看，德鲁克的回答说明马斯洛所说的人性问题是古希腊哲学与基督教结合在一起所理解的终极实在问题，这个终极实在就是把人性看成一个抽象的、完全不变的“上帝”。在德鲁克看来，西方主流管理学哲学继承了古希腊哲学的思想，认为存在一个绝对不变的理念。德鲁克打破了传统哲学中的绝对理念和宗教中绝对存在上帝的形式主义（formalism）的禁锢，发起了一场对管理学哲学内部的激烈变革。德鲁克在他的著述中运用现象学、诠释学、存在主义、实用主义等攻击那个抽象的、永远存在的形式（form），或者叫作“idea”，也就是柏拉图所说的“理念”，亚里士多德所说的“存在背后的存在”，或是马斯洛所说的“人性”。在德鲁克的思想中，管理学哲学追求的不是本源意义上的“人性”，而“人性”是与效率紧密联系的，马斯洛看到的只是一个抽象性的、客观性的对象，那是“同”，而非“和”，是“同而不和”。

第七节　让管理更富人性色彩

让管理更富人性色彩，是人本主义管理学追求的目标。这个经典的学术命题传播着关于历史、现实和未来的思想端绪。人本主义管理学这种特殊的人性取向和亲情呼唤是有力量和感召力的，它与人们心灵深处的自然情感和世俗生活的需求相通，是这个时代的最强音。

泰罗的科学主义管理学一直是管理学人本主义者（humanist）憎恨的对象，人本主义者指责泰罗的科学管理方法是不道德的，是将工作“非人性化”（dehumanization）并把极具人性色彩的管理变成简单的效率衡量。从某种意义上说，古典管理学的原罪（sins of the classical management）促成了人本主义管理学的兴起。

人本主义管理学以新康德主义（neo-Kantianism）、现象学

(phenomenology)、诠释学(interpretation)等哲学思潮为理论基础,强调管理学与自然科学的差异,认为组织及其管理现象的本质是人的主体精神的外化或客体化,是“精神世界”和“文化世界”。因此,认识组织及其管理现象不能用反映的方式,更不能用自然科学的方法,唯一可行的是“理解”“感受”“分析”或“解释”。管理学研究对象是“一种个别的、仅仅一度发生于一定时间内的事件”,它只能运用“个别化方法”进行研究。①

人本主义管理学强调把人放在管理学研究的中心位置。德国哲学家康德的伦理哲学说明了这个道理:“理性生物之所以叫作人是因为他们的本质属性突出了他们作为目的的自身,也就是他们不应当仅仅被当作手段,因而在很大程度上限制了对他们的随意摆布。”“你的行为应当这样:不要总是把人当成手段,要把人当作目的,不管是代表自己还是代表其他人。”②

这里所说的“人”并不是古典管理学用隔离法抽象出来的“经济人”,③ 而是被看成是“生活在社会里的人”,他们不断地被密如蛛网的人际关系网包围,他们自身也是这个关系网的一部分。在人本主义管理学中,整个人类的本性是由积极的

① 文德尔班(Wilhelm Windelband).“历史与自然科学”(History and Natural Science),载于洪谦注编.现代西方哲学论著选辑.上册,北京:商务印书馆,1993 年,67-68 页。

② Immanuel Kant. Groundwork of the metaphysics of morals. Translated by H. J. Paton. New York: Harper Torchbooks, 1964, 96.

③ 古典管理学采取了物理学中最常见的分析方法——隔离法(Isolating Approach),通过一系列假定,排除一切干扰因素,把个人从社会中抽象出来,得到了一个“理想类型”(Ideal Type)——“经济人”(学名 Homo Oconomicus)。

与消极的、崇高的与卑劣的质量构成，他们反对科学主义管理学把人仅仅看成只知一味索取的自利主义的（egoistic）“经济人”的看法，强调利他主义（altruist）与给予的质量也是人性中最根本的东西。人本主义管理学还有一个重要特征，那就是强调人的潜质的生长与发展，而且这种潜质的生长始终是处于动态过程中的，是不断成长、不断进化的，是随着时间和社会文化场景的变化而变化的。

人本主义管理学说明了组织中最宝贵的资源不是原材料、资本、机器、土地或能源，而是人。一旦引入人力资产（human asset）或人力资本（human capital）概念，信任、雇佣和企业价值的概念就需要改写。与此有关的观念应当是“管理学研究对象就是人本身”，或者说“衡量管理效果的标准就是人”。

人本主义管理学强调，人的潜能是管理所能开发到的最重要的资源或资本。管理就等于人，人能够开发自身。德鲁克（Drucker，1954）认为，人力资源与其他资源相比具有与众不同的特征，即人力资源具有协作、整合、判断及想象的能力。① 人本主义管理学的一个重要特征——强调人的潜质的生长与发展，而且这种潜质的生长始终处于动态过程中，不断地成长、不断地进化，是随着时间和社会文化场景的变化而变化的。

马斯洛（Maslow，1965）的《良好精神状态的管理》（Eupsychian Management）可以视为“人本主义管理学”的发微之作，标志着人本管理思想的胎动与萌芽。马斯洛在书中论

---

① Peter F. Drucker. The practice of management. New York：Harper & Row Press，1954.

述了“开明管理”的思想，并阐释了企业组织“协同”的思想。他提倡管理者与其“团队”分享权力并追求“持续改善”。然而，这本毫不起眼的小册子在当时几乎完全被科学主义管理学埋没了，是30年后的人本主义管理学潮流才使它的价值被人们重新认识。

《良好精神状态的管理》作为人本主义范式的经典之作，振聋发聩之处当然在于大胆地翻转了传统理性与非理性的逻辑：马斯洛要用人性的、生命的力量代替非人性的、制度的压抑，他通过人的自我实现的话语否弃了人被充当一个物件、一个补充物或者一件工具社会的传统话语。IBM公司的首席执行官小托马斯·沃森（Watson，1963）在1963年出版的《一个企业和它的信念》（A Business and Its Beliefs）中提到：“审视任何存在多年并有所成就的企业，你都会发现，这些企业身上拥有某种恢复力。这种恢复力并不是来自组织架构或管理技巧，而是来自被我们称作信念的力量及这些信念对员工的吸引力。”① 沃森在这里所谈论的信念对员工的吸引力，就是指企业中那些最基本的人本主义理想和准则。这些是IBM公司最具价值和最重要的东西。

人本主义管理学强调，组织中的人应当是管理学理论研究的核心问题之一。德鲁克（Drucker，1954）早就指出：“管理是任务，管理是纪律。但管理也是人。”马斯洛（Maslow，1996）认为，“组织和人的关系正变得越来越有趣，我们不是把个人的部分时间卖给组织，以获得报酬去进行其他的活动。

---

① Thomas J. Watson, Jr. A business and its beliefs: The ideas that helped build IBM. New York: McGraw Hill, 1963.

组织是现代人生活的一部分。"① 人本主义管理学已经认识到管理学的研究对象是“在社会历史领域内进行活动的全是具有意识的、经过思虑或凭激情行动的，追求某种目的的人。"② 在这个问题上，美国著名行为科学家克里斯·阿吉里斯（Argyris，1957）指出，组织从根本上依靠人，而个人的发展是，也应该是与工作密切相关的。他认为，在许多组织中出现的问题是：组织自身站在阻碍人们发挥其潜能的立场上。组织的任务应该是确保人们动机和潜能的发挥且方向正确。③ 爱尔兰管理学家、英国伦敦商学院教授查尔斯·汉迪（Handy，1989）曾说过：“自由的人不愿成为他人的工具……社区的核心成员更应当被当作公民对待，而不仅仅是员工或‘人力资源’。"④

人本主义管理学抓住了工作场所人性表现的核心所在：人天生就具有生产力和主动性。美国哈佛商学院教授克里斯托弗·巴特列特和英国伦敦商学院教授舒曼特拉·高沙尔（Bartlett and Ghoshal，1997）所著的《个性主义的公司》就是人本主义管理学的鼎力之作。他们指出，公司的力量不仅在于员工的能动性，还在于“对个人价值的坚定信赖”。巴特列特和高沙尔写道：基于发挥经理人员的个性创造力和各个层次员工的个人积极性，“这种故事也许令人印象深刻，

① Abraham Harold Maslow. Future visions: The unpublished papers of Abraham Harold Maslow. Edward Hoffman, Ed. California: Sage Publications, 1996.

② 马克思．马克思恩格斯选集．北京：人民出版社，1960 年，第 4 卷，243 页。

③ Chris Argyris. Personality and organization. New York: Harper Press, 1957.

④ Charles Handy. The Age of unreason. London: Century Hutchinson, 1989.

但如果不是因为另外一个特点，它也不过是一次平淡无奇的转变，……变革成效是由以前业绩平平、勉强能够获利的同一班管理人马取得的。”他们是怎样做到这一点的呢？依靠委托责任制和密切的交流，来激发公司上下各个层次员工的个人积极性。巴特列特和高沙尔认为，当前企业参与竞争以知识为基础、服务密集型的经营环境要求高层管理者转换管理职能——实现超越。即超越战略，发展目标；超越结构，发展过程；超越体系，培育员工。摒弃“战略—结构—系统”旧的管理结构体系，建立一种更广阔、更有生命力的新管理哲学，也就是建立在发展目标、过程和员工基础上的管理哲学。这种“目标—过程—员工”的新管理哲学要求企业高层管理者超越战略。可以说，“目标—过程—员工”的管理原理建立在组织的基本任务是塑造员工行为，建立员工主动创新、合作和学习的企业环境的基础上的。这种新管理哲学更真实地体现了人本主义范式的宗旨，可以适应知识经济时代人本管理的要求。①

应当这样说，人本主义管理学把人视为“正在成长中的存在”，其实质就是让人领悟自己的本性，不再倚重外来的价值观念，让人重新信赖，消除外界环境通过内化而强加给他的价值观，让人可以自由表达自己的思想和感情，由自己的意志来决定自己的行为，掌握自己的命运，修复被破坏的自我实现潜力，促进个性的健康发展。

人本主义管理学的重要内容包括德鲁克、马斯洛和麦克雷

① Christopher A. Bartlett and Sumantra Ghoshal. The individualized corporation. Boston Massachusetts: Harvard Business Press, 1997.

戈所倡导的分权（decentralization）、授权制（delegation of authority）、扩大工作范围（job enlargement）、参与式管理（participative management）和员工自我评价（self evaluation）、德鲁克所强调的人力资源（human resource）、自我控制（self-control）、自我管理的工厂社区（self-governing plant community）、授权（empowerment）、知识工作者（knowledge worker）、自我管理（self- management）、终身受雇能力（lifetime employability），马斯洛所推崇的“开明管理”（open management）、协同思想（synergy）、“持续改善”（continues improvement）、需求层次（hierarchy of needs）、自我实现（self-actualization）、峰值体验（peak-experience）、超越性需求（meta-needs）、超越性动机状态（meta-motivation）、自我实现者（self-actualized person）等概念。

德鲁克敏锐地注意到，在知识经济时代对知识工作者的管理更加重要。德鲁克（Drucker，1999）说：“提供知识工作者的生产率会成为管理的中心，正如100年前（自泰罗之后）提高体力劳动者的生产率是当时管理的中心一样。这就需要一套与以往截然不同的关于组织中的人及其工作的假设：不是控制人而是引导人，目标是让每一个人的优势和知识得到发挥。”①

大量的案例说明，往往并不是一线员工缺乏主动精神和创造力，而是公司的等级管理制度使其束手束脚，无法施展才华。今天，人本主义管理学已经被普遍视为更先进的管理理论和手段，它破除了“科学管理”强加在人身上的桎梏。它使

① Peter F. Drucker. Management challenges for the 21st century. New York: Harper Press, 1999, 21 -22.

管理者认识到，员工的创造力和个人能动性是一种远比统一性及服从性更重要的竞争资源。

今天，中国一些企业组织以提倡人本主义或人本管理为时尚和口号，这与中国人的基本关怀侧重于人伦，忽视制度、规则和科学管理有关。应当看到，人本主义管理学的这种人际关系取向在中国人中是有力量和感召力的，它与人们心灵深处的自然情感和世俗生活的需求相通。人本主义管理学在组织成员中的感召力，可以说从一开始就表现为伦理亲情的召唤，在人心中激起了强烈的归属感和依赖感。但是，中国企业组织的管理不仅仅需要注入人本精神，还需要补上科学管理的课。今天中国企业组织倡导以人为本的科学发展观和建立和谐社会，正在丰富和改写人本主义管理学让管理更有人性这一命题，以让组织及其管理更和谐来丰富和发展人本主义管理学。

人本主义管理学所强调的使管理更加人性，集中体现在：

（1）注重和突出人与人的关系。

（2）注重和突出人与组织的关系。

（3）注重和突出组织中小团体与组织的关系。

（4）注重和突出人、组织与环境的关系。

（5）鼓励员工的自我实现。

在我们看来，现代管理学主流学派的科学性是一种机械逻辑论和对理性的滥用，而马斯洛所说的人性并不是独立存在的，是寓于科学、竞争和协作中的。德鲁克的管理学倡导的是一种反传统的人本主义，其方法论则将人性与科学、竞争与协作看成是不可分离的整体，组织及其管理世界中的人性与科学并不存在整合问题，需要的是用组织内生的伙伴关系和信任机制取代企业之间的对抗、规则与人性的对立，厂商与顾客的对立，以及竞争对手之间的相持。这种思维方式颇似中国古代哲学的“天人合一”“和而不同”的思想，是一种后现代的管理哲学思想。

我们认为，管理学就像古罗马的双面神亚努斯（Janus）①，它在人类灵魂层面深刻地象征了人性与效率之间渴望永久结合的古老而美好的愿望。管理学应当像亚努斯一样，它是能够同时往来于人性与效率之间，能够由人性转为效率继而又能够从效率转为人性。我们希望看到管理学自由地穿梭于对立的矛盾之间而依然故我，用亚努斯这个隐喻象征着管理学最根本的矛盾即是对效率与人性的超越。

事实上，一些管理学家一直主张科学主义管理学和人本主义管理学二者应密不可分（indivisible）。早期的美国政治学家、管理学家玛丽·帕克·福列特（Mary Parker Follett，1868－1933）指出：“我们应当记住，我们永远不能把人与机械截然分开。”福列特（Follett，1941）在其所著的《动态的行政管理》一书中预言：“对工商领域中人际关系的研究与对生产技术的研究密不可分。”② 美国管理学家加里·哈默尔（Hamel，2001）指出：“现代管理理论的发展无非就是对两样东西的追求：让管理更加科学，让管理更富人性色彩。认为对后者的追

---

① 亚努斯（Janus）是一个长着面对两个相反方向的古罗马神，起初被认为是仁慈的创造者和上帝的上帝。后来亚努斯逐渐成为变化与变迁的象征：从过去到未来，从一种景象到另一种景象，或是从一个地方到另一个地方。

② Mary Parker Follett. Dynamic Administration：The Collected Papers of Mary Parker Follett. New York：Harper & Brothers Press，1941.

求比对前者更开明，这是一种完全错误的看法。”①

从这个意义上看，德鲁克对人性问题的结论无疑是极为深刻的，这对于当下依然存在的科学主义与人本主义思潮之间的对立态势，对于如何解决效率与人性意识层面的表面严重的分歧问题，提供了富有启示录效果般的观察立场与思考角度。

事实上，德鲁克的目标管理（Management By Objectives）强调了对科学效率的追求与对人性追求的不可分离的整体性，目标管理强调了建立组织管理控制制度对组织目标和效率的追求中存在着人本主义精神——员工的自我控制（self-control）和参与式管理（participative management）。这颇有点后现代人本主义管理学的意味。德鲁克对管理学的最大贡献是提出了任务（或目标）决定管理，并据此提出目标管理法。德鲁克认为，传统科学管理学派偏于以工作为中心，忽视人的一面；而行为科学又偏于以人为中心，忽视同工作相结合。目标管理则结合以工作为中心和以人为中心的管理方法，使员工发现工作的兴趣和价值，从工作中满足其自我实现的需要。同时，组织目标也因员工的自我实现而实现，这样就把工作和人性二者统一起来了。

美国心理学家弗雷德里克·赫兹伯格认为，人际关系学派主张的人际关系训练（interpersonal relationship training）、敏感性训练（sensitivity training）等方法对员工的激励程度十分有限。赫兹伯格提出著名的双因素理论（Two Factors Theory），论证了最有力的激励因素（motivation factor）是以工作为中心

① Gary Hamel. “Revolution vs. Evolution：You Need Both”. Harvard Business Review，2001，79（5）：150－153.

的，即激励因素与工作本身、个人的工作成就、工作责任感、通过工作获得的晋升和承认等都有直接关系；保健因素（hygiene factor）则是工作本身以外的，而且是更多地与工作的外部环境有关联。赫兹伯格主张通过工作内容丰富化（job enrichment）来解决过度分工的缺陷，从而激励工人更加努力工作。①

我们认为，管理学从诞生之日起，科学主义管理学和人本主义管理学就是管理理论中注重技术与注重人的两个主要方面。这两个侧翼的发展构成了早期管理学发展的历史，它们都是管理学理论的重要组成部分，是同一个硬币的两面，是交互共生的（symbiosis），都对管理学的发展做出了重要的贡献。那种将管理学人为地划分为科学主义管理学或人本主义管理学的做法，那种为了发展一种管理学理论而把另一种理论视为假象之敌的做法都是错误的，会严重阻碍管理学的发展。正如玛丽·帕克·福列特（Follett，1941）所说："当我们的思想挣脱不出'非此即彼'的桎梏时，我们将会鼠目寸光，左右碰壁，成功渺茫。千万不要让'非此即彼'埋没了我们。比'此''彼'两种选择更好的办法极有可能存在。"她指出，整合（integration）是唯一具有积极作用的方法。这种方法可以通过先暴露（exposure）出真正的冲突所在，然后把"双方的冲突分解后再变成相互关联的部分"的方法来实现。② 美国管理学家和管理思想史学家，美国伊利诺斯大学教授丹尼尔·雷

① Frederick Herzberg, Bernard Mausner, and Barbara Snyderman. The motivation to work. New York: Wiley, 1959.

② Mary Parker Follett. Dynamic administration: The collected papers of Mary Parker Follett. New York: Harper & Brothers Press, 1941.

恩（Wren，2004）博士指出：“当我们学会把组织的技术问题同人群问题更好地联系起来，（管理学的）综合就会实现。”①

在我们看来，科学主义管理学的认识论把管理学看成是纯理性的事业，理性的认识结果必须由经验事实裁决，即管理学是由组织及其管理过程的技术规律决定的，人只能被动地反映组织及其管理过程，而且管理学的发展与人无关。人本主义管理学的认识论把管理学看成是完全由人建构的事业，管理学不完全是对组织及其管理过程的描述，而是心理性地、社会性地建构起来的，管理不完全是由理性和规则支配的活动，管理知识的真伪也并非由经验证据裁决，而且技术规律对人的社会心理没有影响作用，或者说是影响有限，管理知识是管理学家各种不同认识的结果。

我们既不赞同极端的科学主义管理学，也不赞同极端的人本主义管理学。因为前者是绝对主义（absolutism），后者是相对主义（relativism），它们的错误在于“非此即彼”。在我们看来，管理学知识是技术与人共同决定的，是理性、经验与人的心理活动共同决定的。因此，管理学的方法应当是一种语境化（contextualism）的方法，这样才能在技术、组织和人之间建立必要的联系，从而突破科学主义管理学的“技术——人”的架构和人本主义管理学的“组织——人”的架构，建立起“组织——人——技术”的语境化的架构。

---

① Daniel A. Wren. The evolution of management thought. 4th Edition, New York: John Wiley & Sons Inc. , August, 2004.

第二章
戴明与德鲁克：“目标导向”还是“过程导向”

第一节 戴明小传

威廉·爱德华兹·戴明博士（William Edwards Deming, 1900–1993）是世界著名的质量管理专家，因对世界质量管理发展做出卓越贡献而享誉全球。

戴明于1900年10月14日生于美国依阿华州苏城（Sioux City, IA），戴明父亲经营农场但收入不多，少年时代的戴明家境较为贫穷，因此他在少年时代可以说是一直在打工，有时候在外面点亮街灯、除雪，赚取每天1.2美元的工资或在饭店内打杂、做清洁、洗床单，每小时工资0.25美元，以补家计。戴明一家后来几次搬家，最终定居于怀俄明州的鲍威尔镇（Powell, Wyoming）。戴明颇负正义感，曾经报名墨西哥边境一个小战争的志愿兵，且已搭车赶赴战场，但是后来被发现只有14岁，因不符合规定被遣返。

戴明就读于怀俄明大学（University of Wyoming），1921年

获工程学士学位。他继续在科罗拉多大学（University of Colorado）深造，并在 1925 年获数学及物理学硕士学位。1928 年获耶鲁大学（Yale University）物理学博士学位。

在攻读博士学位期间，戴明曾在美国西方电器公司（Western Electric Corp.）① 所属，设在芝加哥附近的霍桑（Hawthorne）② 工厂工作。当时的西方电器公司高层管理者高度关注德国企业正在全力推行的"合理化运动"（Rationization）③，重视运用新的管理方法提高企业的生产效率和产品质

---

① 20 世纪 20 年代，由于第一次世界大战后造成的欧洲大饥荒，德国许多优秀的工程师移民美国加入美国西方电器公司（Western Electric Corp.），并成为公司的高管，使西方电气公司在对如何提升公司的管理水平与产品质量方面雄心勃勃。在霍桑工厂（Hawthorne）第一个引进了美国统计学家沃尔特·阿曼德·休哈特博士（Dr. Walter A. Shewhart）的"质量控制图"对大规模生产进行质量控制，并邀请美国哈佛大学心理学家们来霍桑工厂进行工作环境对工人劳动效率影响的实验。因此，有学者称霍桑工厂是"质量管理诞生之地"。

② 这个霍桑工厂（Hawthorne）就是美国哈佛大学心理学家乔治·埃尔顿·梅奥（George Elton Mayo）、弗里兹·罗特利斯伯格（Fritz J. Roethlisberger）等人进行著名的霍桑试验（Hawthorne Experiment）的地方。梅奥是在 1927 年冬到霍桑工厂进行试验的，而戴明是在 1927 年秋天离开霍桑工厂的，两人并没有在霍桑工厂见过面。

③ 20 世纪 20 年代，德国魏玛共和国相对稳定时期，泰罗的科学管理和福特的流水生产线在德国备受青睐，德国企业大规模推行以泰罗制和福特制为代表的"合理化运动"（Rationization）。合理化运动极大地提高了社会劳动生产率和在职工人的收入，提升了德国企业的国际竞争能力。有趣的是，戴明在 20 世纪 50—60 年代全程参加了日本企业的合理化（日语称为 gorika）改革运动。日本企业的合理化改革的特点是彻底、强有力，以及细致入微地提升新产品生产能力和新技术应用能力、加强质量管理和改进产品质量，对工人的劳动组织工会进行调整及控制，削弱工人对资方讨价还价的力量。日本的合理化改革运动从 1951 年最早在日本钢铁企业中推行。

量，在 1923 年开始了工作环境对工人劳动效率影响的霍桑试验（Hawthorne Experiment），并全力推行泰罗的科学管理。

在霍桑工厂工作期间，戴明对泰罗的科学管理方法充满兴趣，认为泰罗制有助于提升产品质量、改进和优化产品生产的流程，因而戴明对如何运用统计方法提升产品质量抱有极大的兴趣与热情。当他得知当时在美国贝尔电话实验室（Bell Laboratory）工作的统计学家沃尔特·阿曼德·休哈特博士（Dr. Walter A. Shewhart）①发明了“休哈特控制图”（Shewhart Control Chart）后，戴明非常振奋、很感兴趣。戴明认为，“休哈特控制图”应当成为科学管理的一个重要工具，特别适合大规模机器生产体系，是企业进行产品质量管理不可或缺的管理工具。戴明发现，“休哈特控制图”是一种有控制界限的图，可以用来区分引起质量波动的原因是偶然的还是系统的，可以提供系统原因存在的信息，从而判断生产过程是否处于受控状态。因此，“休哈特控制图”既是分析用的控制图，又应当成为管理用的控制图，完全可以用于发现生产过程是否出现异常情况，以预防产生不合格品。在戴明的要求下，两人在 1927 年初次见面，从此成为亦师亦友、莫逆之交的终生好友。

戴明博士毕业后婉拒西方电气公司的工作机会，应聘到首

---

① 沃尔特·阿曼德·休哈特（Walter A. Shewhart），美国工程师、统计学家、管理咨询顾问，质量运动的先驱者，现代质量管理的奠基者，质量专业科学理论基础的奠基人，将质量领域的研究成果推向统计学和整个科学界，被人们尊称为“统计质量控制（SQC）之父”。1940 年 12 月，在美国统计协会（American Statistical Association）和数理统计学会（Institute of Mathematical Statistics）的一次联席会议上，休哈特与其他学者联合发起倡议，成立“工业质量统计学会”（SIQS，Society of Industrial Quality Statisticians），这是美国历史上第一个全国性的质量专业人员组织。

都华盛顿美国农业部固氮研究所工作。戴明博士在美国政府服务期间，为美国人口调查而开发出新的抽样调查法，并证明统计方法不但可以应用于大规模工业生产，在商业和服务业也非常有用。在1940年美国人口统计的准备工作中，戴明将统计过程控制代替了正常的办公运作，把这一过程的生产效率提高了6倍。戴明曾经利用一年的休假到英国伦敦大学与英国统计学家罗纳德·艾尔默·费希尔（Ronald Aylmer Fisher，1890－1962）① 做有关统计方面的研究。

在第二次世界大战期间，戴明建议美国军事有关单位的技术者及检验人员必须接受统计的质量管理方法，并实际给予教育训练。另外，戴明还在通用电气公司（GE）开班讲授统计质量管理，并与其他专家联合起来在美国各地巡回讲授统计质量管理方法，前后共计培训了包括政府机构人员在内的各类人员31000多人，对美国统计质量控制（SQC）的基础及推广做出了突出的贡献。当时戴明博士已将统计的质量管理应用到工业以外的住宅、营养、农业、水产、员工的雇用方面，涉及面极为广泛。

1945年，戴明应聘成为美国纽约大学教授，教授统计学。

1946年，日本科学家与工程师联合会（JUSE）成立后，

① 罗纳德·艾尔默·费希尔（Ronald Aylmer Fisher，1890－1962），英国统计学家、生物进化学家、数学家、遗传学家和优生学家，现代统计科学的奠基人之一。费希尔被称为现代进化论的首席设计师之一，他创立了费希尔准则，以及雌雄双方的生物性状互相促进的进化理论，即“费氏失控理论”（Fisherian runaway）。他是现代种群遗传学的的三杰之一（另外两杰是霍尔丹（J. B. S. Haldane）和莱特（Sewall Wright）），是达尔文以来最伟大的生物进化学家。他对现代统计科学的重要贡献，包括方差分析、极大似然统计推断和许多抽样分布的导出。

戴明开始与该组织建立联系，由此逐渐被日本人熟知并在日本成名。1947 年，戴明应第二次世界大战后出任驻日盟军最高司令道格拉斯·麦克阿瑟将军（Douglas MacArthur，1880－1964）的邀请首次访问了日本，对日本战后重建恢复工业生产力的关键因素进行了考察。1950 年 7 月，戴明由麦克阿瑟将军推荐，并接受日本科学家和工程师联合会（JUSE）的邀请，开始为日本人讲述自己的统计方法，为日本产业界带来质量管理的"福音"。

在日本教授统计方法期间，戴明很快就发觉仅仅教授统计质量管理的方法可能会犯以前美国企业界所犯的相同错误，质量管理的统计方法必须建立在正确的质量经营理念基础上。于是，戴明修正了原来的培训计划，改向企业的经营者灌输质量经营的理念及重要性。可以说，日本企业早期的经营者几乎都见过戴明博士，受教于他，并努力将戴明的质量经营理念贯彻于企业生产经营的实践中，由此奠定了日本全面质量控制（TQC）或"全面质量管理"（TQM）的基础。戴明博士早期辅导日本企业的质量管理时曾经预言，日本在 5 年内其产品必将雄霸世界市场。后来果然不出其所料，戴明的预言被证实，且提早到来。难怪日本企业界对戴明博士怀有最崇高的敬佩，称其为"日本质量管理之父"。

戴明对日本工业振兴提出了以较低的价格和较好的质量占领市场的战略思想，由此奠定了日本企业界良好的质量管理基础。当时，日本人急切地想学习美国的管理技术，而戴明则要求他们避开效率低下的美国管理方法，鼓励他们创造以用户为中心的新的经营管理体系。戴明告诫日本实业家，日本企业必须通过紧盯质量，才能够甩掉第二次世界大战前人们普遍认为日本货就是低质量代名词的印象，生产出经久耐用、质量可靠的产品，日本企业才能够成为世界经济的重要力量。仅仅几个月，日本工商界就把戴明的教诲落实于行动。自此以后，单位产品的能耗降低了，产品质量提高了，日本企业的经济实力更是戏剧般地提升。

1956 年，鉴于戴明对统计质量管理和统计方法做出贡献，戴明获得了美国质量协会（American Society of Quality，ASQ）授予的以他的好友兼导师名字命名的质量管理奖——“休哈特奖章”（Shewhart Medal）。

戴明博士从 1950 年首次到日本指导质量管理，一直持续近 40 年，且前后 30 年几乎每年都去日本，并将日本讲学的报酬捐出。说日本的质量管理是戴明博士带动起来的，一点都不为过。

鉴于戴明为日本经济发展做出的巨大贡献，1960 年，日本裕仁天皇授予威廉·爱德华兹·戴明博士二等圣宝勋章（Second Order Medal of Sacred Treasure），他是第一位获此殊荣的美国人。得奖事由上写着：“日本人民把日本产业得以重生，以及日制收音机及零件、半导体材料、照相机、双筒望远镜、缝纫机等成功地行销全球，归功于戴明博士在此的所作所为。”

尽管戴明在 20 世纪 40 年代就已经是美国首屈一指的统计专家，但他真正被美国大众熟悉并在工商管理界被广为推崇，则是在他 80 岁以后。1980 年，美国的竞争力受到日本和德国企业的严峻挑战，处于生产力衰退的危机中，日本这个亚洲国家戏剧般崛起，成为举世瞩目的经济强国。就在美国工商界四处寻找良策之际，美国全国广播公司（NBC）电视台播放了 90 分钟的专题片——“日本能，为什么我们不能?”戴明在节目中以显著的地位出现，突出地介绍了戴明在日本企业生产力提升中所扮演的角色。

从此，戴明名扬美国，成百上千的美国各类机构，包括工商企业、军事部门和政府纷纷向戴明讨教，许多大公司的高层管理者成为戴明的门徒。包括波士顿大学（Boston University）和哈佛大学（Harvard University）在内的近20所大学相继授予戴明名誉博士学位。1988年，戴明出版了最能够反映自己管理思想的《转危为安》（Out of the Crisis）。书中的“14点管理原则”是戴明根据多年的实践经验提炼出来的一般管理原则，被人们称为“戴明模式”或“戴明14点”（Deming's 14 Points）。戴明强调，“14要点”并不限于西方工业发展及企业经营，可以广泛应用于教育、政府工作、服务业、医院及交通服务各个领域。《转危为安》的出版，改变了人们对戴明的印象，原来人们普遍认为戴明的贡献主要是把统计学原理应用到质量管理，但戴明的著作表明，他的方法背后有着系统的管理哲学。

1993年是戴明生命的最后一年，戴明创立了非盈利组织“戴明学院”（Deming Institute），并逐步在美国和英国设立了“戴明学院”的分支机构。“戴明学院”所宣称的基本精神是戴明博士的“全面质量管理”（TQM），戴明希望门徒们继续自己的事业——推进整个世界的经济发展与世界和平。同年，戴明的母校耶鲁大学研究生院校友联合会（the Graduate School Alumni Association）将耶鲁校友的最高荣誉奖项——维尔伯·卢休斯十字奖章（Wilbur Lucius Cross Medal）授予戴明，以表彰他对美国和日本质量管理的贡献。

1993年12月20日，戴明博士以93岁的高龄在华盛顿的家中与世长辞。

第二节　日本人的导师

人们普遍认为，对日本在第二次世界大战之后经济发展做出重大贡献的有四个美国人，他们被称为“日本人的导师”。这四个美国人分别是：美国底特律银行家约瑟夫·道奇（Joseph M. Dodge）、罗马尼亚裔美国质量管理专家约瑟夫·莫西·朱兰（Joseph Juran）、美国质量管理专家威廉·爱德华兹·戴明博士（William Edwards Deming）、美国管理学家彼得·德鲁克（Peter F. Drucker）。

一、第一位导师：底特律银行家约瑟夫·道奇

1945 年 8 月 15 日，日本宣布无条件投降。美国陆军五星上将道格拉斯·麦克阿瑟将军（Genenal Douglas MacArthur）

随即被杜鲁门总统任命为驻日盟军最高司令，负责对日军事占领和日本的重建工作。面对日本重建的种种难题，美国底特律银行家约瑟夫·道奇（Joseph Murrel Dodge，1890－1964）① 于1949年2月作为美国总统特使兼占领军总司令部（GHQ）财政顾问，来到日本推行所谓的经济安定计划。当时的日本市场物资极度短缺，市场需求极为旺盛，但物价飞涨，通货膨胀非常严重，日本经济正处在崩溃边缘。约瑟夫·道奇当即提出了紧缩经济的意见，即著名的“道奇计划”（The Dodge Plan）。道奇通过编制日本1949年度政府财政预算，努力实现财政预算的“超平衡”，停止复兴金融公库贷款业务，提高征税率等措施，推行财政紧缩政策，来安定日本经济。

约瑟夫·道奇认为，当时日本政府搞的所谓“倾斜经济”其实只是“高跷经济”，一根高跷是美援，另一根高跷是补助金，这种不稳定的高跷是要栽跟斗的，再说美国也当不起日本的高跷，所以日本一定要紧缩经济。而紧缩经济的结果就是大量裁减人员，结果失业率大增，引起社会动荡是很自然的结果。应当这样说，道奇进行的经济调整会使日本经济需求急剧萎缩，但1950年爆发的朝鲜战争为日本经济发展提供了极大的需求，直接推动了日本经济的战后复兴。

道奇教导日本人要发展经济，首先是稳定货币金融，稳定金融必须保持汇率稳定，他将日元与美元汇率固定于360日元等于1美元，使日元变得相对廉价。廉价的日元反而成了日本

---

① 约瑟夫·道奇（Joseph Murrel Dodge，1890－1964），美国芝加哥银行主席，曾任第二次世界大战后日本和德国经济政策顾问，制定了“道奇路线”，使日本和德国经济逐步恢复稳定，为战后日本和德国发展奠定了坚实的基础。

经济发展的有利条件，提高了日本产品的国际市场竞争力。约瑟夫·道奇对日本战后经济的最大贡献是帮助日本建立起现代金融体系。

从此，日本逐步成为一个工业制造大国，生产成本比西方主要工业国家的竞争对手低得多，开始了长达40年的经济繁荣期，并在1972年成长为世界第二大经济体。

二、第二位导师：质量管理专家约瑟夫·莫西·朱兰

约瑟夫·莫西·朱兰博士（Dr. Joseph M. Juran，1904－2008）是举世公认的现代质量管理的领军人物，被誉为质量领域的“首席建筑师”。朱兰所倡导的质量管理理念和方法，始终深刻地影响着国际企业界和全球质量管理的发展。

1904年12月24日，朱兰出生于罗马尼亚东南部港口城市布勒伊拉（Braila，Romania）的一个贫苦家庭。1912年随父母移民美国，1917年加入美国国籍。1924年，朱兰毕业于美国明尼苏达大学（the University of Minnesota），获得电力工程专业理学士学位。

1926年，朱兰任职于著名的美国西方电气公司（Western Electric Corp.）芝加哥附近的霍桑工厂（Hawthorne）质量检验部（the quality inspections division）。在霍桑工厂工作期间，朱兰于1927年结识了正在耶鲁大学（Yale University）攻读物理学博士学位、当时到霍桑工厂进行短期工作的威廉·爱德华兹·戴明博士（William Edwards Deming），共同的兴趣与爱好使两人成为好友。

1928年，朱兰完成了一本叫《生产问题的统计方法应用》(Statistical Methods Applied to Manufacturing Problems）的小手册。1937年，朱兰成为纽约西方电气公司总部工业工程方面负责人。

1951年，《朱兰质量控制手册》(Juran Quality Control Handbook）第1版的出版为朱兰赢得了国际威望，并引起日本产业界的关注。

1953年，经戴明博士的强力推荐，应日本经济联合会、日本科学家和工程师联合会（JUSE）的邀请，朱兰首次到日本进行为期两个月的讲学。在日本期间，朱兰研究了日本式的管理实践，并决定用自己所谓的"质量管理"模式向日本的企业家灌输质量管理的概念与知识。朱兰在日本主要通过召开日本企业中高级管理者专题研讨会的方式，讲授全面质量管理（TQM）的理论基础和基本方法，以推动日本企业实施质量计划、质量控制和质量改进的工作。

朱兰传授给日本企业家的核心思想是：质量管理是建立在质量文化基础上的，因此，高层主管的管理意识必须改变。朱兰说："高层主管必须积极地参与质量改进活动，仅仅营造意识、设定目标，然后就把所有事情交给下属，这是远远不够的。这样的尝试不断重复，结局只能是一而再、再而三的失败而已。我从不知道有哪家公司没有高层的积极参与而成为质量领先者的，明确'参与'到底意味着什么，也是至关重要的。它包括了高层主管必须亲自担任的一系列角色，那些质量领先者公司的高层主管实际承担的一系列角色是'不可下授'的。"

朱兰的质量哲学是围绕着质量计划、质量控制和质量改进进行的，被称为“朱兰三部曲”。他最早把帕累托原理（Pareto Principle）[①] 引入质量管理。《管理突破》（Management Breakthrough）[②] 和《质量计划》（Quality Planning）两本书是他的经典之作。由朱兰博士主编的《质量控制手册》（Quality Control Handbook）被称为当今世界质量控制科学的名著，为奠定全面质量管理（TQM）的理论基础和基本方法做出了卓越的贡献。

朱兰反对威廉·爱德华兹·戴明博士过于依赖统计数字的做法，他明确宣称自己的质量管理是基于“全公司质量管理”（CWQM）的，其目的在于创造一种可以把质量观念传播给所有人的方法。朱兰坚持认为，质量不能委托给某人，它应该是现在人们所认识到的“授权”的早期组成部分。在朱兰看来，无论组织成员是作为个人或团队的一分子，质量都必须是每一个员工通过自我监督实现的目标。他的方法与戴明博士的方法相比少了几分机械性，对人际关系的强调更多一些。但戴明博士的追随者非常反感朱兰的这个观念，不同意这样的说法，认为“目标”一词带有“强制”的色彩。

1979 年，朱兰建立了咨询机构朱兰学院（Juran Institute），更利于广泛传播自己的观点，朱兰学院如今已成为世界上领先

---

① 帕累托原理是指世界上充满了不平衡性，比如 20% 的人口拥有 80% 的财富，20% 的员工创造了 80% 的价值，80% 的收入来自 20% 的商品，80% 的利润来自 20% 的顾客，等等。这种不平衡关系就是意大利经济学家帕累托发现的二八法则。该法则认为，资源总会自我调整，以求将工作量减到最少。抓好起主要作用的 20% 的问题，其他 80% 的问题就迎刃而解了。所以，在工作中要学会抓住关键的少数，要用 20% 的精力付出获取 80% 的回报。因此，这种法则又叫省力法则。

② Joseph Juran. Managerial breakthrough：A new concept of the manager's job. New York：McGraw－Hill，1964.

的质量管理咨询公司。随后创建朱兰基金会（Juran Function），朱兰基金会作为他的母校明尼苏达大学卡尔森管理学院（Carlson School of Management, University of Minnesota）的朱兰质量领导中心的一部分，致力于推广质量管理的理念和质量管理方法。20 世纪 90 年代，朱兰仍然担任学院的名誉主席和董事会成员，以 90 多岁的高龄继续在世界各地从事讲演和咨询活动。

朱兰博士在美国的质量管理领域有着赫赫声名和崇高的威望，他协助创建了美国马尔科姆·鲍德里奇国家质量奖（Baldrige National Quality）①，他是该奖项的监督委员会成员。

在朱兰的职业生涯中，他做过工程师、企业主管、政府官员、大学教授、劳工调解人、公司董事、管理顾问等。在管理领域中从业 70 余年，他获得的荣誉包括 20 多个国家的政府、专业协会、大学和企业所授予的 100 余枚勋章和会员资格、名誉会员资格等。对战后日本的经济复兴和质量革命起到了巨大的推动作用，同时也为世界质量管理的理念拓展和方法论发展做出了卓越贡献。

如同质量领域中的另一位大师戴明博士一样，鉴于朱兰对日本经济复兴和质量革命的影响和贡献，朱兰博士获得日本政府和产业界高度的评价。为了表彰朱兰向日本企业传授质量管理的思想和方法，为日本企业带来了现场管理革命，1981 年，

① 1987 年 8 月，前美国总统里根批准了美国国会通过的《国家质量改进法》提案，设立了以美国前商业部长马尔科姆·鲍德里奇（Malcolm Baldrige）命名的美国国家质量奖——马尔科姆·鲍德里奇奖（Malcolm Baldrige National Quality），用以表彰优秀的业绩和质量成果，其评奖准则被称为“卓越绩效准则”（Criteria for Performance Excellence）。马尔科姆·鲍德里奇奖旨在促进质量意识，表彰企业的质量成果，宣传成功的业绩战略。

日本裕仁天皇授予约瑟夫·朱兰博士二等圣宝勋章（Second Order Medal of Sacred Treasure），奖励他“为了发展日本质量管理和促进日美两国友谊做出的长期贡献”。

2002年，美国总统乔治·布什（President George H. W. Bush）为表彰朱兰博士在“为企业提供管理产品和过程质量的基本原理和方法，从而提升其在全球市场上的竞争力”方面所做的毕生努力，向朱兰博士颁发了美国国家技术勋章（the National Medal of Technology）。

朱兰博士在日本讲学期间，幸运地遇到了正在日本讲学的管理学大师德鲁克。朱兰非常赞赏德鲁克的经营理念，认为日本企业的质量管理必须建立在这种管理理念之上才能够成功。在听了德鲁克给日本企业家讲授的“引导消费、创造顾客”的课程后，朱兰立即成为德鲁克的崇拜者。在名著《管理突破》（Management Breakthrough）中，他（Juran，1964）写道：德鲁克的“引导消费、创造顾客”可以通过“一张地图……一些不可更改的、按顺序排好的步骤”来实现。一是辨别谁是顾客；二是判定这些顾客的需求是什么；三是用我们的语言表达他们的需求；四是发展与这些需求相呼应的产品；五是使产品尽可能地完善，满足我们及顾客的要求；六是发展可以生产该产品的程序；七是使程序尽可能地完善；八是证明在操作条件下，程序可以生产出该产品；九是把程序转化为操作力量。①

德鲁克也对朱兰博士在质量管理方面所做出的贡献给予了

---

① Joseph Juran. Managerial breakthrough：A new concept of the manager's job. New York：McGraw-Hill，1964.

高度评价，德鲁克评价："美国制造业在过去30～40年中所取得的成就，与朱兰博士的贡献是分不开的。"

三、第三位导师：质量管理专家威廉·爱德华兹·戴明博士

德鲁克认为，质量管理是美国人发明的，但完美运用、臻于化境的却是日本人，他们的导师当之无愧属于约瑟夫·朱兰博士和威廉·爱德华兹·戴明博士，将他们两人称成"全面质量管理之父"一点也不为过。

戴明给日本人讲授的质量管理，与美国企业当时使用的质量管理方法有所不同。戴明事后回忆："我告诉他们，日本工业可以在短时间内发展起来，日本人可以闯入世界市场，并且让制造商在5年内为保护制度叫好。我是1950年在日本唯一相信这些的人。"戴明要求日本企业不仅要在科学的层面改进生产程序、设立质量控制的关键点，还特别强调，质量管理98%的挑战在于发掘公司上下的知识诀窍（knowledge know-how）。戴明推崇团队精神、跨部门合作、严格的培训，以及同供应商的紧密合作，将"产品质量管理"提升到"供应链质量管理"的高度，认为这是提升产品质量最重要的工作。

戴明博士告诉日本企业家一句颇富哲理的名言："质量无须惊人之举。"戴明的这句平实语言的见解让日本企业家深思：如果能够有系统地、持久地将全面质量管理观念付诸行动，几乎可以肯定在全面质量管理上就能够取得突破，取得骄人的成就，必定会赢得企业界的重视和消费者的尊重。后来，这句名

言成为日本企业文化之魂。

在20世纪50年代，戴明与朱兰在日本全国范围内创立质量研究会并举办质量管理讲座。在1950—1970年，他们为日本科学家和工程师联合会组织的14700名工程师和上百名其他学员教授了质量统计方法，其课程内容和实践方法在日本企业中到处流传。

戴明本人与德鲁克一样，是日本文化，特别是日本戏剧的狂热爱好者。戴明之所以能够在日本讲授质量管理大获成功，主要在于他对日本人和日本文化有非常深刻的认识与理解。正是基于对日本文化的了解，他才能够有针对性地传授日本人真正需要的东西，既让日本人能够理解，又能够与日本文化的长处相结合。比如，戴明向日本企业推荐的“质量管理小组”（Quality Control Circle，QCC），就是特别适合日本传统文化的思维和方法。

日裔美国管理学家、加州大学洛杉矶分校管理学教授威廉·大内（William Ouchi）在自己的名著《Z理论》（Theory Z）中，解析了“美国的商业机构如何应对日本的挑战”。威廉·大内特别谈到了为什么“质量管理小组”或“质量控制圈”（QCC）在日本能够成功的原因。首先，日本科学家和工程师联合会（JUSE）是全日本“质量管理小组”（QCC）的主办者和发起者，具有一定的权威性；其次，“质量管理小组”（QCC）特别适合日本文化传统。截至1979年12月，全日本注册和不注册的QCC估计有100万个。大内（Ouchi，1981）在书中专门提到：“质量控制小组或QCC是日本管理艺术最令人感兴趣的启示之一，也是在精神上接近Z理论的启示之一。”①

日本人接受戴明的观点，他的关于团队与责任共享的观点，深深地触动了日本文化的神经。戴明强调团队而非个人成绩的观点使日本人能够分享创意与责任，并促使日本企业“命运共同体”和终身雇佣制（the system of all life employment）的发展。这是一种西方人认为难以预期，更难以理解的方式。

从某种意义上说，戴明在构建“日本式管理模式”中功不可没。比如，人们津津乐道的“丰田模式”，其基本要点：一是以人为本；二是挑战自我；三是持续改善（continual improvement，日文kaizen）②；四是“质量管理小组”（QCC）。其中，持续改善和“质量管理小组”就是戴明根据日本管理概念做出的贡献。

直到今天，日本质量管理的最高荣誉《戴明品质奖》仍然是以戴明的名字命名的，作为质量管理的先驱者，戴明学说对国际质量管理理论和方法始终产生着非同寻常的重要影响。

---

① William Ouchi. Theory Z：How American business can meet the Japanese challenge. Reading，MA：Addison-Wesley，1981.

② 持续改善（Kaizen）方法最初是一个日本管理概念，是指逐渐、连续地增强改善。是日本持续改善之父、日本质量管理大师、全球改善咨询集团创始人及主席今井正明（Masaaki Imai）在《改善：日本企业成功的奥秘》（Kaizen：The Key to Japan's Competitive Success）中提出的。Kaizen意味着改进，涉及每一个人、每一环节的连续不断的改进：从最高的管理部门、管理人员到工人。“持续改善”的策略是日本管理部门中最重要的理念，是日本人竞争成功的关键。Kaizen实际上是生活方式哲学，它假设人们应当经常改进生活的每个方面。参见：今井正明（Masaaki Imai）：《改善：日本企业成功的奥秘》，北京：机械工业出版社，2010年4月版。

戴明认为，“质量是一种以最经济的手段，制造出市场上最有用的产品。一旦改进了产品质量，生产率就会自动提高。”

在20世纪50年代，德鲁克与戴明都是美国纽约大学的教授，德鲁克教授管理学，戴明教授统计方法与质量管理。在当时的纽约大学校园里，人们经常会看到一个奇特的现象：德鲁克总是彬彬有礼地向同在纽约大学担任经济学教授的奥地利裔美国经济学家、奥地利经济学派第二代传人路德维格·冯·米塞斯（Ludwig Heinrich Edler von Mises）① 敬礼，冯·米塞斯的回礼是常常问询德鲁克的父亲阿道夫·德鲁克（Adolph Drucker）的身体是否健康，两人基本上不做更多的交流。② 反观德鲁克与戴明，两人总是谈笑风生，似乎有永远谈不完的话题。德鲁克亲切地称戴明“爱德”③，戴明回应称德鲁克“彼得”。他们谈论最多的是日本文化和日本人的特性，以及美国人类文化学家露丝·本尼迪克特（Ruth Benedict，1887—1948）研究日本民族性的专著《菊与刀》(The Chrysanthemum and the Sword)，

---

① 路德维希·海因里希·艾德勒·冯·米塞斯（Ludwig Heinrich Edler von Mises，1881 – 1973），20世纪著名的经济学大师、卓越的自由主义思想家、奥地利经济学派第二代掌门人、自由意志主义运动的主要代表人物，也是促成古典自由主义复苏的学者，被誉为是“奥地利学派的院长”。2000年被美国《自由》杂志评为“自由至上主义的世纪人物”。他的弟子中最著名的是奥地利裔英国经济学家、新自由主义代表人物，1974年诺贝尔经济学奖得主弗里德里克·冯·哈耶克（Friedrich August von Hayek，1899 – 1992），以及美国的经济学家、历史学家、自然法理论家穆瑞·罗斯巴德（Murray Rothbard，1926 – 1995）。其中，哈耶克于1974年代表自由主义获得诺贝尔经济学奖。

② 冯·米塞斯与德鲁克的父亲阿道夫·德鲁克（Adolph Drucker）曾经都是奥地利维也纳大学的经济学教授。

③ “爱德”（Ed）是戴明教名爱德华兹（Edwards）的昵称。

他们两人都是日本文化的狂热爱好者。他们的共同观点是：管理是有国界的，管理必须和一个国家的文化相结合，这是任何管理理论在日本实践中必须遵循的一个重要原则。

1960年，戴明从纽约大学退休之后，举家迁往华盛顿定居，这两个好朋友的往来才逐渐减少，用德鲁克的话说："仅仅偶尔有书信往来"。1971年，德鲁克当年发表在《哈佛商业评论》（Harvard Business Review）杂志上的论文《我们能从日本式管理中学到什么》（What we can learn from Japanese management），获得麦肯锡管理研究基金会（McKinsey Foundation for Management Research）颁发的麦肯锡奖（McKinsey Award）①。戴明曾写信祝贺德鲁克，称德鲁克是美国管理学家中第一个发现"新兴的日本式管理模式将为世界带来新的挑战"的人。德鲁克在回信中对自己受邀将要在加利福尼亚州立理工大学波莫纳分校（California State Polytechnic University, Pomona）兼任了"日本艺术课程"教授感到非常自豪。1979年，德鲁克向戴明赠送了有关日本绘画艺术的研究著作《毛笔之歌：日本绘画》（Song of the Brush: Japanese Painting from the Sanso Collec-

① 麦肯锡奖（McKinsey Award）是在1959年由麦肯锡管理研究基金会（McKinsey Foundation for Management Research）与《哈佛商业评论》（Harvard Business Review）杂志合作设立的。该奖项授予当年两篇发表在《哈佛商业评论》上的最好的文章的作者（一等奖、二等奖各一篇）。每年由编辑们选出一个由公司总裁、学者、政府或社会机构领导人组成的独立的评审小组，决定奖落谁家。文章对现有知识的贡献，轻松应对传统思想的能力，分析深度、合理的逻辑和清晰的风格都在评选中发挥重要作用。然而，最关键的还是文章对于经理人的实际工作、面临的问题是否相关，也就是说文章内容是否会引发人们的思考和行动。德鲁克共有6次获得麦肯锡奖，是获得麦肯锡奖最多的管理学家，至今没有人超过他。

tion)，称自己在日本绘画艺术中发现了日本式管理模式的许多共同点，并对自己在70岁时被荣聘为东京大学研究日本艺术文化的教授引以为傲，称这是日本人送给自己70岁生日的“最好礼物”。

四、第四位导师：管理学家彼得·德鲁克

了解德鲁克的人都不会否认，德鲁克有极深的日本情结，这与德鲁克年轻时的经历有关。1934年，德鲁克25岁时就与日本艺术结缘，当时德鲁克在伦敦弗里德伯格公司（Freedberg & Co.）工作，在一次偶然的机会中接触到日本艺术。德鲁克惊讶地发现日本艺术与西方艺术大异其趣，从而对日本艺术和日本文化产生了浓厚的兴趣。从此，德鲁克对日本艺术情有独钟，并有精深而独到的研究。可以说，在美国管理学家中，德鲁克是最喜欢日本文化的。

1954年，应日本生产力本部（Japan Productivity Center，JPC）的邀请，德鲁克与约瑟夫·朱兰一起到日本讲学。与朱兰的讲授方式一样，德鲁克的讲授是以召开日本企业中高级管理者专题研讨会进行的。德鲁克一到日本，立即受到日本企业界的热情欢迎，德鲁克教会了日本企业家如何思考战略和实施目标管理。德鲁克后来回忆：“我在日本的声望都来自于《公司的概念》一书。日本能以一个经济强国的身份出现，以及它的工业成就和工业生产力的发展，在很大程度上都归功于我。《公司的概念》一出版就被翻译成日文，人们怀着极大的热情阅读并应用它。”

德鲁克在日本的讲授集中在管理哲学、企业经营、管理原理、非营利组织的管理、组织结构、高层管理等方面。在这些领域，德鲁克都有较深的研究和独到的见解，他更多的是考虑如何帮助日本企业高级管理者认识企业的活动方向问题。作为企业组织的活动方向问题，往往是企业经营问题和高层管理问题，当然也包括管理理念和经营哲学，这些都属于组织的战略问题，具有非结构化的特征。德鲁克在日本的讲授重点显然是企业组织的活动方向。

德鲁克告诉日本企业家，企业经营实质就是引导消费、创造顾客。德鲁克认为，顾客是企业得以生存的基础，企业的目的是创造顾客（the purpose of a busincss is to create a customer），任何组织如果没有经营（business）或经营只是其业务的一部分，则不能称之为企业。[①] 德鲁克认为，管理可能有美国模式或日本模式，但企业的本质特征就是“创造顾客”，这是一个“会移动的零件”，放之四海而皆准。德鲁克强调：“企业存在的目的只有一个：创造顾客（There is only one valid definition of business purpose：to create a customer）。市场既不是上帝创造的，也不是自然或经济力量创造的，市场是企业家创造出来的。需求在时间上可能会先于产品或服务，顾客也许会像饥荒中的人们盼望食品一样迫不及待。但是，这只不过是理论上的

---

① 德鲁克因创造顾客理论（create customers）被国际管理委员会（The International Management Council，IMC）授予“威尔伯·麦克菲勒奖”（Wilbur M. McFeely Award）。后来获得这一奖项的管理学家有美国管理学家肯尼斯·布兰查德（Kenneth H. Blanchard）、威廉·爱德华兹·戴明（William Edwards Deming）、美国企业英雄李·艾柯卡（Lee Iacocca）、美国管理学家汤姆·彼得斯（Tom J. Peters）和美国管理学家斯蒂芬·科维（Stephen Covey）等。

需求，只有当企业家用自己的工作将它转变为有效需求之后，才会产生一个现实的顾客和现实的市场。”企业存在的目的在于“引导消费、创造顾客”，因此，“企业的基本职能只有两个：市场营销和创造革新”（the business enterprise has two, and only these two, basic functions：marketing and innovation），其他工作都是“成本”（all the rest are'costs'）。其中，市场营销的目的在于充分了解顾客，将其潜在需求转化为实际需求，并提供相应的产品与服务。创造革新则是赋予人力、物力创造更大财富的任务，用超越过去的方法满足顾客需求。①

质量管理专家约瑟夫·朱兰在《管理的突破》一书中表达了与德鲁克类似的观点，朱兰（Juran, 1964）认为，“从广义上讲，质量计划包括改进产品与生产流程以满足顾客的需求所必需的程序。说得明白一些，质量计划包括的基本活动有：一是辨别顾客和他们的需求；二是发展适应顾客需求的产品；三是发展出可以生产该产品的程序。”② 就连德鲁克的“论敌”戴明博士（Deming, 1988）也认为，“商业利益来自于一直与你做生意的顾客，他们夸赞你的产品与服务，而你为他们带来友谊。”③

德鲁克在日本的多次讲演中宣传了这一思想，日本企业家是德鲁克经营思想忠实的崇拜者和实践者。日本索尼公司（日语：ソニー株式会社，英语：Sony Corporation）就是遵循德鲁

---

① Peter F. Drucker. The practice of management. New York：Harper and Row Press, 1954, ch. 5.

② Joseph Juran. Managerial breakthrough：A new concept of the manager's job. New York：McGraw-Hill, 1964.

③ William Edwards Deming. Out of the crisis：Is the US treasury crossing into moral hazard. Cambridge, Massachusetts：Cambridge University Press, 1988.

克的这一思想，从引导消费、创造顾客入手（顾客并没有提出这种需求，而是生产决定消费），开发了世界上第一部随身听（Walkman），成功地引领了世界的消费潮流。日本著名企业家，日本索尼公司创始人之一盛田昭夫（Morita et al.，1986）对此说道：“我相信没有任何市场调查能告诉我们它将会取得成功。”“公众不知道什么是可能，而我们知道。”①

日本管理学家大前研一（Ohmae，1982）认为，日本企业竞争战略的运作过程及精义来源于德鲁克的思想。日本企业把顾客列为战略制定的中心和公司价值观的关键组成部分，而在西方企业的战略计划过程和公司价值观中，顾客的作用非常明显地受到冷落。“在任何企业战略的构架过程中，必须考虑三个主要参与者：公司自身（corporation）、顾客（customer）和竞争者（competition）。‘战略3C’中的每一个都是有着自己利益和目标的实体，我们将它们统称为‘战略三角’（strategic triangle）”。日本企业之所以在世界各地商业竞争中取得空前的成功，实有赖于德鲁克经营思想演化出来的日本企业家的独特战略思考模式，日本企业家“有一套独特的思维模式，潜心思考公司、顾客和竞争者之间处于动态的相互作用，从而发展出全套指导行动的具体目标和计划。”②

德鲁克与戴明、朱兰的观点一致，他们都认为管理是有国界的，管理必须和一个国家的文化相结合，不能把美国的管理理论和管理模式完全照搬到日本，日本的管理实践必须与日本的传统文化相结合，这是一个重要的原则。

---

① Akio Morita, Edwin M. Reingold and Mitsuko Shimomura. Made in Japan: Akio Morita and the Sony corporation. New York: Dutton, 1986.

② Kenichi Ohmae. The mind of the strategist: The art of Japanese business. New York: Free Press, 1982.

德鲁克与戴明发现，日本文化中包含着极强的团队与责任共享的思想，因此，日本式管理模式与美国式管理模式最大的差异应是：日本式管理模式强调的是团队而非个人成绩，管理政策重在使企业员工能够分享创意与责任。日本人渴望稳定的就业，因而应当推行终身雇佣制（the system of all life employment）；日本人注重年资和贡献并重，而非美国式的“能力主义”，因而应当推行年功序列制（the system of year added wage）。这是一种西方人认为难以预期，更难以理解和接受的管理思维，是许多美国管理学家无法理解的奇特管理制度，但却是促进日本经济腾飞的利器。在美国 Transaction 出版社 1993 年把德鲁克从 20 世纪 30—60 年代所写的有关社会议题论文结集出版的专著《生态愿景》的《前言》中，德鲁克告诉人们，自己“早在 1961 年就率先观察到”新兴的日本经济活动将为世界带来新的挑战。

鉴于德鲁克对日本经济腾飞和构建日本管理模式的贡献，1966 年 6 月 24 日，日本裕仁天皇授予彼得·德鲁克三等圣宝勋章（Third Order Medal of Sacred Treasure），以感谢他对日本社会经济发展所做出的贡献。

1971 年，德鲁克当年发表在《哈佛商业评论》（Harvard Business Review）杂志上的论文《我们能从日本式管理中学到什么》（What we can learn from Japanese management），获得麦肯锡管理研究基金会（McKinsey Foundation for Management Research）颁发的麦肯锡奖（McKinsey Award），这是自 1959 年设立麦肯锡奖（McKinsey Award）以来德鲁克继 1962 年、1963 年获得麦肯锡奖之后的第三次

获奖[①]。德鲁克多年的挚友、现代管理咨询之父、已经退休的麦肯锡咨询公司创始人马文·鲍尔（Marvin Bower，1903—2003）[②]出席了当年的颁奖典礼，并详细询问了德鲁克在日本讲课的情况与日本企业的状况，马文·鲍尔当即敏锐地意识到日本将是麦肯锡咨询公司最大的潜在市场。在随后与麦肯锡高层交流的午餐会上，马文·鲍尔希望麦肯锡咨询公司尽快在东京设立办事处，以便打开日本市场。正是这一背景，使得日本核物理学家大前研一博士（Kenichi Ohmae）[③] 能够在1972年进入麦肯锡，成为麦肯锡东京办事处主任，开启了对日本企业家战略思维的研究。

在20世纪90年代的日本经济持续衰退中，日本企业不得不开始放弃德鲁克当年支持的一些东西，如终身雇佣制（the

① 德鲁克共有6次获得麦肯锡奖，是获得麦肯锡奖最多的管理学家，至今还没有人超过他。德鲁克获奖时间和论文分别是：Peter F. Drucker（1962）．“Big business and the national purpose”；Peter F. Drucker（1963）．“Managing for business effectiveness”；Peter F. Drucker（1971）．“What we can learn from Japanese management”；Peter F. Drucker（1974）．“New templates for today's organizations”；Peter F. Drucker（1981）．“Behind Japan's success”；Peter F. Drucker（1994）．“The theory of the business”；Peter F. Drucker（2004）．“What makes an effective executive”。

② 马文·鲍尔（Marvin Bower，1903－2003），现代管理咨询之父、麦肯锡咨询公司的创建人、现代欧美企业经营哲学的领导者和CEO的精神导师。主要著作有：《管理意志》（The will to manage）、《领导意志》（The will to lead）。

③ 大前研一（Kenichi Ohmae），美国麻省理工学院原子核物理学博士，美籍日本管理学家，曾任麦肯锡咨询公司东京办事处主任，兼任许多跨国公司的管理顾问。大前研一1994年7月离开麦肯锡，担任日本前首相中曾根康弘（Nakasone Yasuhiro）的特别助理，1996年竞选日本东京都知事失败后，应聘成为美国加州大学洛杉矶分校教授、斯坦福大学客座教授，现任创业者商学院校长和一新塾校长。大前研一被英国《经济学人》杂志评选为“全球五位管理大师”之一、“日本战略之父”。大前研一著述颇丰，其中，研究日本企业家决策思维模式的代表作《战略家的思维》（The Mind of the Strategist）最知名。

system of all lifetime employment）（Beatty，1999）[①]。德鲁克发现，在科学技术日新月异、市场竞争风云变幻的当今世界，企业的商业生命要短于个人的就业生涯。以日本为例，日本从20世纪90年代以来，长达十多年的经济低迷。然而，日本企业在战后最大特色的终身雇佣制已经有了结构性的改变。许多企业因为竞争的关系，难以给员工终身雇佣的保障，甚至就业人口中有1/4左右是以短期派遣的方式雇用，反映出日本就业市场的改变。虽然政府与一些大企业还可以提供终身雇佣制，但追求终身雇佣制不如建立终身受雇能力重要。

德鲁克认为，在传统社会里，一个人进入公共机构或企业组织可以慢慢地学习，通过经验建立自己的专业能力。因为环境变化缓慢，过去经验与能力可以运用的时间较长，一个人如果在一个企业中工作时间较久，会比较了解该组织的需要，可以发挥更大的作用。所以，终身雇佣制不只是提供员工保障，增强员工的忠诚度，它在工作效率上也有相当的贡献。但是，今天科技进步日新月异，产品寿命周期日趋缩短，企业之间的竞争日益加剧，各种组织面对的环境快速变化，过去的经验与知识未必都能适用。如果不能及时更新与适应，反而会出现组织僵化的情形。一个组织必须要权衡本身的适应能力，特别是员工缺乏学习能力，组织就会逐渐停滞，最终丧失竞争力。终身雇佣制虽然可以形成高度的就业保障和员工忠诚度，但如果组织的成员缺乏学习与适应的动机，面对环境的剧烈变动，组织的竞争力就会逐步减弱，必然会在竞争中落败。因此，在新

---

① Jack Beatty. The world according to Peter Drucker. New York: Free Press, 1999.

的历史时期，德鲁克向日本企业家提出了终身受雇能力（lifetime employability）① 的概念：既然终身就业无从谈起，那么通过扩大教育来提高个人就业能力，就应是一项营造新生产力的基础性工作。②

这个趋势，不只在日本，在竞争多变的现代社会都免不了，如何思考这个问题，已经是员工个人、企业与政府都要面对的问题。现在看来，人们对终身受雇能力的接受已远远超过了终身雇佣。终身受雇能力这个概念说明员工个人能够不断更新充实知识，对于员工个人的就业能力有直接的帮助作用。如果员工个人的知识与能力可以适用于不同的行业，那么这个员工的就业范围更广泛、适应能力更强。能够持续学习的员工，自然会拥有更好的终身受雇能力。

终身受雇能力的建立，要求员工个人在知识与技能上扩

---

① 受雇能力（employability）是英国著名社会福利改革家罗尔·威廉·贝弗里奇爵士（Sir, Lord William Henry Beveridge, 1879 - 1963）发明的，德鲁克将其发展为终身受雇能力（lifetime employability）。在德鲁克的著作中，引用贝弗里奇的话非常多。比如，德鲁克在《管理的实践》（The practice of management）一书中引用了贝弗里奇的名言：“组织的宗旨就是使一群平凡的人做出不平凡的事。”（The purpose of an organization is to enable common men to do uncommon things.）。第一次世界大战后，罗尔·威廉·贝弗里奇爵士担任伦敦经济学院（The London School of Economics, LSE）院长。在这个位置上，贝弗里奇的能力充分地扩展到社会福利制度及英国社会科学任务的研究方面。1924 年出版的“Insurance for All and Everything”一书，又可视为社会福利政策中著名的贝弗里奇报告书的起源。1942 年推出著名的社会福利改革方案——贝弗里奇报告（Social Insurance and Allied Services），贝弗里奇报告可以视为现在西方福利国家和社会养老制度的理论基础。

② Peter F. Drucker. Peter F. Drucker on the profession of management (Harvard Business Review Book Series). Harvard Business School Press, 1998.

张，而缺乏学习的动机或诱因则是知识成长最大的障碍。当知识技能停滞时，结构性的失业随之增加。因此，社会需要提供诱因让个人愿意不断地学习。只要员工个人愿意不断地学习，增强就业能力，一方面，政府可以通过税收，分享员工个人因为就业带来的所得；另一方面，员工个人持续就业，可以降低政府社会福利的负担。

在《纽约时报》专栏作家托马斯·弗里德曼（Friedman，2005）的一本畅销书《扁平的世界：21 世纪简明史》（The World Is Flat：A Brief History of the Twenty-first Century）中也强调，从“终身雇佣制”转型到“终身受雇能力”的经济体系，需要个人、企业与政府共同的责任。政府提供终身学习的诱因，企业鼓励员工参与学习，而个人努力积极的自我提升，通过这种合作方式，知识经济带来的成果才能在社会上分享，减少知识鸿沟带来的所得落差。①

① Thomas L. Friedman. The world is flat：A brief history of the twenty-first century. New York：Farrar，Straus and Giroux，April 2005.

第三节　德鲁克管理体系的实践

从某种意义上说，尽管德鲁克担任了通用汽车公司（GM）、通用电气公司（GE）、国际商用机器公司（IBM）、西尔斯公司（Sears）、切萨皮克－俄亥俄铁路公司（Chesapeake and Ohio Railroad）等多家公司的管理咨询顾问，但他所倡导的“德鲁克管理体系”第一个成功运用的企业却是美国福特汽车公司（Ford Motor Company）。

福特汽车公司是世界最大的汽车制造企业之一，由美国企业家亨利·福特（Henry Ford，1863－1947）[①] 创立于1903年。1908年，亨利·福特推出了一款改变世界的T型汽车，

① 亨利·福特（Henry Ford，1863－1947），美国汽车工程师与企业家，福特汽车公司的建立者，也是世界上第一个使用流水线大批量生产汽车的人。

它很快成为美国最畅销的汽车。1913 年，福特发明了现代工业革命史上具有里程碑意义的流水装配线（Ford's assembly line），奠定了大规模流水线生产方式的基础，创立了“福特生产体系”（Ford System）。1908—1927 年，福特生产的 T 型车超过 1500 万辆。1928 年福特推出 A 型汽车，A 型汽车是福特的忠实用户翘首盼望已久的新款式。一经推出市场，果然不负众望，该车工艺精湛、技术先进、性能卓越、外观精美。

但是，福特汽车公司在市场上的成功却使亨利·福特日益趋向在产品更新换代方面因循守旧，在企业管理上故步自封，采用家族管理方式，排斥职业经理人。1919 年 1 月 1 日，亨利·福特任命儿子埃德索尔·福特（Edsel Ford）为福特汽车公司总经理，公司生产经营大权高度集权于亨利·福特父子手中。在福特 T 型汽车问世的 19 年里，福特汽车公司一直将这个单一的车型呈献给消费者，藉此维持市场，并不考虑市场的多元化需求，大大地阻碍了公司业务的发展。就在福特公司停滞不前时，它的老对手通用汽车公司（GM）迅速赶超。通用不惜以重金聘请被誉为“现代公司组织天才”之称的小阿尔弗雷德·斯隆（Alfred P. Sloan，Jr，1875－1966）担任总经理。斯隆上台后，首先在同行中进行吸收合并（merger）、换股收购，壮大自己的经营规模，继而实行“中央集权”与“地方分权”的“事业部制”组织形式（group structure），既控制了收购过来的企业，又充分发挥了它们各自的活力。

1928 年，福特汽车公司无可奈何地让出了世界汽车销量第一的宝座，市场占有率逐步萎缩。1929 年，福特汽车公司仍然在美国汽车市场保有第二的市场地位，市场占有率为 31.3%，仅次于通用汽车公司。到了 1940 年，市场占有率竟然跌至 18.9%，真是惨不忍睹。面对福特汽车公司如此糟糕的情况，年届八旬的老亨利·福特已经无能为力了，他产生了隐退的想法。

德鲁克在总结福特汽车公司的经验教训时说：“在管理福特汽车公司时，亨利·福特根本不想用职业经理人，结果公司接近破产的边缘，差一点跨掉。”这位老先生想靠一己之力管理这家营业收入高达数十亿美元的大型企业。他派出“私人侦探”专门监督各级主管；一有迹象显示各级主管想做出何种决策，这些“私人侦探”就把这一情报汇报给亨利·福特。晚年的老福特变得独断专行，公司的一切决定都由他一人说了算。这种家长式的领导体制造成公司管理的极度混乱。由于任人唯亲，在公司担任中高级职员的500余人中竟然没有一名大学毕业生；设备落后、厂房陈旧，无人过问技术更新和产品创新；财务报表像杂货店账本一样原始；没有财务预决算；甚至早已死亡的职工名字还列在工资单上。德鲁克一针见血地指出：“亨利·福特的暴政中最根本的就是他有系统地、有预谋地、有意识地试图排除管理层，从而独自掌管这个商业帝国。只要他的助手试图做出决定，必定会被密探报告给他。”①

事实上，在第一次世界大战后，福特汽车公司在美国汽车市场约拥有60%的市场占有率，但是第二次世界大战时，市场占有率降为不到20%。福特在一度成功至极的T型汽车之外，迟迟没有推出新车型，几乎导致公司在市场竞争中濒临崩溃。在同一时期，通用汽车公司重振旗鼓，市场占有率从大约12%

① Peter F. Drucker. The practice of management. New York: Harper Press, 1954, 128.

上升到50%，克莱斯勒汽车公司则从一无所有，一举攫取了20%的市场大饼。更糟糕的是，连年的亏损几乎把福特汽车公司从1927年到1941年的留存利润蚕食一空。美国《生活》杂志在描述福特公司这一切时指出："美国工业史上从来没有一家公司有过这么长久、这么大规模衰退的例子。"如果福特公司是一家上市公司，必定要承受华尔街和股东的压力，亨利·福特早就丧失控制权了。但是老福特早年赚取了数量惊人的钞票，而且把原始伙伴的股权通通买了下来，公司完全由福特家族掌控，公司赚的钱只要够这个家族的需要就行了。

1943年5月，亨利·福特的儿子埃德索尔·福特（Edsel Ford）因为胃癌手术后的并发症去世，时年49岁。福特公司立即面临家族的代际传承问题，亨利·福特把正在海军服役的孙子亨利·福特二世（Henry Ford II，1917－1987）召回，令其继承祖业，学习汽车经营业务，并在公司中担任副总裁一职。1945年9月21日，亨利·福特二世从其祖父手中继承了公司的全部行政管理权，升任公司总裁，成为公司未来无可争议的接班人。

亨利·福特二世接管福特汽车公司经营管理大权之后，面对每月亏损高达900万美元的公司，受过高等教育的亨利·福特二世清醒地认识到：要挽救福特公司，就得进行一番彻底的改革与大规模结构重组。要完成这一改革任务，单靠自己是不行的，关键在于要有一批勇于创新和具有全面管理经验的职业经理人，只有具备一整套行之有效的方法和制度后，公司才能起死回生。因此，公司的大规模重组和公司内部的管理革命，是福特汽车公司起死回生的两个关键性要素。

福特二世聘请通用汽车公司副总裁、本迪克斯分公司

(Bendix) 高级经理人员欧内斯特·布里奇 (Ernest R. Breech, 1897－1978) 担任福特汽车公司的执行副总经理。两人一致认为，对福特汽车公司起死回生的基本思路与管理模式的确立，需要借助德鲁克的智慧。

1946年年初，亨利·福特二世、欧内斯特·布里奇与德鲁克在纽约多次会面，讨论如何重整福特汽车的基本思路与具体方法等。德鲁克向两人介绍了他即将出版的《公司的概念》一书的基本内容，特别强调这是以通用汽车公司为蓝本，针对大型制造企业的管理问题所提出的解决之道。这本书并非是纯粹的管理实践总结，而是一种介于管理实践与管理学理论之间的探讨。德鲁克认为，《公司的概念》是第一本把“管理”视为承担特定工作与责任、履行组织特定功能的著作。德鲁克在该书中首次提出“组织”的概念，从而奠定了现代组织理论的基础。德鲁克首次尝试揭示了一个组织实际上是如何运行的，它所面临的挑战、问题和所遵循的基本原理。德鲁克由此成为第一个试图描写组织实际工作情况、挑战、问题和原则的管理学家和第一位企业管理咨询顾问。

亨利·福特二世和欧内斯特·布里奇一致同意以德鲁克《公司的概念》的思想为蓝本重整福特汽车。两人认为，《公司的概念》是德鲁克深入调查研究基础上提出的，是实践的结晶，揭示的是现代公司作为社会系统营运与管理的核心，而非单纯的汽车业巨人诞生与发展之谜。因此，《公司的概念》的思想可以作为公司重组的组织设计基本原则。这时，“德鲁克管理体系”的雏形开始出现，并运用于实践。

“德鲁克管理体系”的基本要素是：大型企业组织机构设置实施“分权化”(decentralization) 原则，权力下放，对公司的二级单位授予自主经营权，但公司总部保留投资权、财务融资权和利润分配权；实行“事业部制”组织结构形式（group structure），事业部按照产品线（product line）构建，总公司授予事业部自主经营管理权；经理人员职业化，对经理人员以客观职责为基础进行考核，德鲁克特别强调“经理人应以其客观职责为基础”；对经理人员的管理实行“授权制与例外原则”（empowerment and exception），即经理人员在其职责的授权范围内自主决策和自我控制，只有在授权之外出现的例外事情，才需要向上级请示汇报。

欧内斯特·布里奇任福特汽车公司的执行副总经理后，亨利·福特二世立即在全美范围内掀起了大规模寻觅企业经营管理人才的活动，聘用了大量优秀职业经理人加入福特汽车公司的管理层。这一时期，原通用汽车公司高级管理人员、后任福特汽车公司副总经理和轿车与卡车分部（the Car and Truck Divisions）负责人的路易斯·克鲁索（Lewis D. Crusoe），后来担任美国国防部长罗伯特·麦克纳马拉（Robert Strange McNamara, 1916 – 2009），后来担任世界银行行长的查尔斯·桑顿（Charles Thornton）和弗兰西斯·利斯（Francis Reith）、乔治·摩尔（George Moore）、查尔斯·包士华（Charles Bosworth）、阿杰·米勒（Arjay Miller）、爱德华·兰迪（J. Edward Lundy）、詹姆斯·莱特（James Wright）、班·米尔斯（Ben Mills）和威伯·安德森（Wilbur Andreson）等十位被誉为“旋风孩子”（Whiz Kids）的经营管理人才，都被亨利·福特二世招至麾下，为重振福特汽车公司效力。麦克纳马拉和桑顿等人是原美国空军第二次世界大战期间的后勤英雄，一经加盟福特汽车公司成为职业经理人，就把数字化管理引入现代企业，拯救了衰退中的福特公司，开创了全球现代企业科学管理的先河。

为了强化对职业经理人的管理，亨利·福特二世和欧内斯特·布里奇经过调查、研究，决定从目标、授权、考核和激励体制入手整改公司管理，强化经理人的职责，明确这些经理人的职责与权力、工作目标等。德鲁克在福特汽车公司的这些实践，后来成为德鲁克“目标管理理论”最重要的基础。这就是“淘汰了经理人是老板代理人的老观念……取而代之的是经理人应以其客观职责为基础，树立应有的权威。”①

1947 年，老亨利·福特去世，亨利·福特二世成了福特公司董事长兼总裁，成为公司无可争议的控制者，为推进公司全面改革提供了新的动力。经过一番努力，公司成功地改革了管理模式和运行机制，公司的面貌焕然一新。改革当年的 1946 年，公司就扭亏为盈。尽管公司税后利润只有 2000 多美元，但止住了连年亏损的势头，使人们对改革成果充满了希望。1947 年，公司税后利润达到 636.7 万美元。1948 年，福特推出了全新 F 系列卡车，这是战后推出的第一代皮卡，它包括 F-1（0.5 吨）到 F-8（3 吨）等多种型号。福特很快便雄踞于卡车的领导地位，F 系列上市后受到美国卡车消费者的热烈欢迎。1948 年公司税后利润达到 9434.6 万美元。

1949 年，公司销售了 80.7 万辆汽车，创下福特汽车公司 1929 年以来的最高销售纪录，实现税后利润为 1.77046 亿美元。经过几年的努力，福特汽车公司终于保住了美国第二大汽车公司的地位。1950 年，福特汽车公司完成组织机构“分权

① Peter F. Drucker. The practice of management. New York: Harper Press, 1954, 128.

化”改造，拥有以世界著名的三大汽车品牌福特（Ford）、林肯（Lincoln）、水星（Mercury）命名的轿车事业部，以及卡车和零配件生产等多个事业部，各自进行独立自主经营。1955年，福特汽车公司第一款私人豪华轿车雷鸟（Thunderbird）首次投入商业化生产与销售，福特汽车公司创造了前所未有的销售记录，亨利·福特二世被《时代》周刊评为“本年度市场风云人物”，标志着福特汽车公司重获新生，成为全球最优秀的汽车制造商之一。

1954年，德鲁克出版了《管理的实践》，成为现代管理学的奠基之作。在该书1985年版的序言中，德鲁克把这本书称为第一部“将管理学作为一个整体，第一部尝试将管理学描述为一种独特功能、将管理描述为一项特殊工作、将担任经理人描述为一种独特责任”的书。由此，“目标管理”成为“德鲁克管理体系”中最重要的组成部分，“德鲁克管理体系”日益完善。

许多美国企业以德鲁克的管理思想为指导方针，建立起各种各具特色的管理模式。实际上，德鲁克所做的工作主要是将管理者的实践经验整理出来，并发展为管理理论体系。美国著名管理思想史学家丹尼尔·雷恩（Wren，2004）在其所著的《管理思想的演变》中指出，“目标管理”就是德鲁克总结通用电气公司的杰拉德·斯沃普（Gerard Swope）、通用汽车公司的小阿尔弗雷德·斯隆、杜邦公司的皮埃尔·塞谬尔·杜邦（Pierre Samuel du Pont）和唐纳森·布朗（Donaldson Brown）

等管理者实践经验的基础上提出来的。①

福特汽车公司彻底的管理改革与大规模结构重组，标志着“德鲁克管理体系”的确立，同时催生了无数美国企业进行“德鲁克管理体系”的实践。1956 年，通用电气公司第四任董事长拉尔夫·科迪纳（Ralph Cordiner）② 开始全面实施“分权化经营”“事业部制”组织结构形式和“目标管理”，并在纽约州坐落于哈得逊河谷（Hudson Valley）的奥思宁（Ossining，New York）的一块 52 英亩的土地上建立了一个学院——通用电气公司管理培训中心。这是美国第一个公司管理培训中心，有“美国企业界的哈佛”美誉的公司学院叫作克罗顿维尔（Crotonville），又称克劳顿村。这里原本是一个默默无闻的地方，是通用电气公司令它享誉全球。科迪纳盛情邀请德鲁克到克劳顿维尔通用电气公司管理培训中心为公司的中高层管理者讲授“德鲁克管理体系”的核心内容。讲课结束后，在与德鲁克交流时，科迪纳感到，要管理好多角化公司，必须比小阿尔弗雷德·斯隆的通用汽车模式有更多的简政放权和自主性。如果经理们不能提高经营管理水平，放权就是一句空话。德鲁克非常赞同科迪纳的观点，并强力推荐在通用电气公司推行“授权制与例外原则”（empowerment and exception）。在后来的 30 年里，德鲁克每年都在克劳顿维尔举行短期讲座，而不是

① Daniel A. Wren. The evolution of management thought. 5th Edition，New York：John Wiley and Sons Inc.，August 2004.

② 在拉尔夫·科迪纳（Ralph Cordiner）于 1950—1963 年任通用电气公司 CEO，在通用电气公司规模迅速膨胀时开始了分权经营的努力，并极富创新地在董事长和总裁之间首创了首席执行官之职，通用电气公司开始有了 CEO 的头衔。

课程形式的老师，担任不定期的导师。

在同一时期，美国著名的大公司如通用汽车公司（GM）、通用电气公司（GE）、国际商用机器公司（IBM）、西尔斯公司（Sears）、杜邦公司（Dupont）、切萨皮克-俄亥俄铁路公司（Chesapeake and Ohio Railroad）都采用了德鲁克管理体系，甚至连美国研究所（Institute for American Studies）和美国邮政管理局（The United States Postal Service，USPS）都实施了目标管理。

20世纪50年代末期，“德鲁克管理体系”走出美国国门，进入许多国家的工业企业。除了日本企业外（日本采用的是戴明体系），几乎所有国家的企业都广泛采用“德鲁克管理体系”，都取得了不凡的成绩。在英国，《管理的实践》被冠以新标题《大管理》（The Great Management）出版，意指“德鲁克管理体系”是最全面和最完善的管理体系。而德鲁克的解释是“管理概念和公司随之被看作是大众化的崇美主义”。

1981年，中国国家经济委员会向全国国有工业企业推荐了西方的“十八种现代化管理方法”，其中有全面质量管理（TQC）、价值工程（VE）、盈亏平衡点分析法（Break-even point analysis）和目标管理（MBO）等。目标管理正式被引进中国，立即在全国国有工业企业中普遍采用，取得了令人难于置信的成绩，对中国企业管理水平的提升起到了重要作用。

目标管理是以“目标”作为组织管理一切活动的出发点、归宿点和手段，贯穿一切活动的始终。它要求在一切活动开始之前，首先确定目标，一切活动的进行要以目标为导向，一切活动的结果要以目标的完成程度来评价，充分发挥“目标”在组织激励机制和约束机制形成中的积极作用。我国推广目标管理的应用范围很广，不仅适合工商企业组织，在学校、医院、政府机构等非营利性机构中也可推广。

可以说，目标管理诞生在美国，却兴盛于中国。这就产生了一个巨大的悖论：目标管理不能拯救美国企业，却使中国企业的管理水平得到了长足的进步。

我们认为，目标管理在中国企业的成功是与中国传统文化的基因有密切的关系的。目标管理不但在中国生根发芽，而且形成了独特的中国式目标管理。

（1）中国传统文化具有强烈的人本主义色彩，这与目标管理隐含的"有责任心的工人"的假设是相通的。儒家文化向来被视为正统的传统文化，儒家文化强调以"以人为本、以德为先、人为为人"的"三为"思想，其"诚、信、和"的实质内涵和孟子的"性善说"，与德鲁克的"有责任心的工人"并无根本性区别。目标管理一引入中国，其"有责任心的工人"的假设是与儒家思想相通的，从一开始就表现为一种人性的召唤，在人们心中激起了强烈的归属感和认同感。

（2）中国传统文化中的道家文化主张"无为而治"，因而在我国企业实践中缺乏目标、定额、限额、计量和原始记录等，管理的基础工作非常薄弱，实际工作中面临着泰罗所说的"如何有效地衡量工人合理劳动量"的问题。这说明我国企业还需要补上"科学管理"这一课。目标管理一引入中国，对我国企业的上述问题具有极强的针对性，目标管理和绩效考核极大地推动了我国企业基础工作的完善。今天，管理基础工作的完善已经成为改进产品质量、提高企业管理水平与提升生产力的一个重要的手段和方法。从某种意义上说，目标管理更好地体现了《庄子·天道》中关于"君无为而臣有为"的主张，予民自由，予民自治，则天下会自组织出社会秩序来，无须由上而下行使权力以维持秩序，这反映了企业领导者高屋建瓴地制定企业战略目标的管理思想。

（3）中国以人伦关系为核心的组织内互动法则，让自然形成的自组织在金字塔式科层制结构的理性系统中有了生存的空间，已经转化为人们的责任感和使命感，有力地推动了目标管理在我国组织中的实施。加拿大管理学家明兹伯格指出："机械式组织（即科层制组织）的一个显著特征——对控制的热衷，控制思想自始至终贯穿在整个组织阶层中。"在目标管理中，德鲁克引导组织控制从经理人控制向员工自我控制转变。"德鲁克用圣贤式的'责任心'标准来代替失业危机感、思想操纵，以及秒表控制式的独裁等管理工人和工作的方法。从本质上讲，这意味着把管理经理时所用的自我控制方法推广到基层。"① 目标管理既是一种有效的控制手段，提高了管理控制的质量，又加强了人性化管理，帮助经理人进一步凝聚了员工。

（4）中国人强调"家"的概念，中国人在"家"中是集体主义的，而在"家"之外就不是集体主义的。目标管理强调目标分解与自我控制，这就使人们可以围绕着目标来构建一个拟似的"家"，目标使人们凝聚成一个整体，这样的基层组织和团队具有强烈的集体主义的荣誉感和归属感，会产生较高的工作绩效，拟似的"家"构成的团队具有自组织的特性与活力。因此，目标管理有一种"裂土封侯式"的激励作用，

---

① 亨利·明兹伯格．明兹伯格论管理——洞悉我们奇特的组织世界．北京：中国劳动社会保障出版社，2004 年，第 118 页。

目标营造了一种集体主义的“情境中心”[①]，推动了团队的建设，目标鼓励了自组织的动机，目标带来荣誉感、归属感、自我利益和自我实现，就会产生强大的工作积极性、创造性与活力。

（5）目标管理与我国企业所崇尚的全面管理有着天然的联系。我国已故的著名管理学家蒋一苇教授认为，全面计划管理、全面质量管理、全面经济核算、全面人事劳动管理等“四全”管理是中国式管理的核心内容。[②] 这些方面的工作可以与目标管理有机地结合在一起。

① 许烺光．文化人类学新论．台北：台北联经出版社，1983 年。

② 蒋一苇主编．中国社会主义工业企业管理研究．北京：经济管理出版社，1988 年。

第四节　戴明体系震惊世界

不可否认，戴明在管理学家的行列中占有非常独特的地位，他对工业发展史所具有的影响是大多数管理学家望尘莫及的。这种影响力，只要走进日本丰田汽车公司（Toyota Motor Corporation）东京都文京区丰田公司总部就可以看到。东京总部大厅里悬挂着三幅画像，第一幅是丰田汽车公司创始人丰田喜一郎（Kichiro Toyoda，1894－1952）的画像，第二幅是现任丰田汽车株式会社社长丰田章男（Akio Toyoda）的画像，第三幅就是威廉·爱德华兹·戴明的画像。

戴明能够获得这种尊敬和荣誉，与他在建立丰田生产体系（Toyota System）的精益生产方式（lean production）中起到的巨大作用密不可分。丰田汽车公司的创始人、日本汽车工业的先驱者丰田喜一郎（Kichiro Toyoda）说："没有一天我不在想戴明博士对丰田的意义，戴明是我们管理的核心，日本欠他很多。”

丰田的精益生产方式就是以戴明的管理哲学为核心，以优化统一的系统和过程为手段，用最少的时间和资源消耗，生产出高质量的产品。日本质量管理和统计法权威专家田口玄一（Genichi Taguchi）博士进一步发展了戴明的理论，把全面质量管理推进到了设计阶段，创立了强劲设计（robust engineering）和实验设计法（design of experiment），这已经成为世界一流企业获得竞争力的有效方法。

所谓的精益生产方式，指以顾客需求为拉动，以消灭浪费和快速反应为核心，使企业以最少的投入获取最佳的运作效益和提高对市场的反应速度。其核心就是精简，通过减少和消除产品开发设计、生产、管理和服务中一切不产生价值的活动（即浪费），缩短对客户的反应周期，快速实现客户价值增值和企业内部增值，增加企业资金回报率和企业利润率。

精益生产方式既是一种最大限度地减少企业生产所占用的资源和降低企业管理、运营成本为主要目标的生产方式，同时也是一种理念、一种文化。这种理念和文化背后的支撑点就是戴明的管理哲学。

在戴明努力把质量管理问题从工厂车间转移到每个经理人议事日程上的过程中，戴明把它重新创造成一种管理哲学，这就是著名的戴明体系或戴明 14 点（Deming's Fourteen Points）。对日本企业来说，戴明体系就是生命。日本人认为，戴明体系可谓良药苦口，因为他对经理们提出了更高的要求，要改变自己，甚至要改头换脑。

戴明体系也称为戴明 14 条转变管理的原则（The fourteen points for the transformation of management）。主要内容为：

（1）持之以恒地改进产品和服务（Create constancy of purpose for improvement of product and service）。要努力保持竞争性，做长期经营打算，提供就业机会。

（2）采用新的观念（Adopt the new philosophy）。要采用能应对竞争的新观念，不要低估改变思想观念的困难性。

（3）停止依靠大规模检查去获得质量（Cease dependence on mass inspection）。靠检查去提高质量，太晚了，无效而且昂贵。质量不是来自检查，而是来自植入源头，改进系统过程。检查、扔弃、降级、返工不是改进系统过程的正确方法，质量不到位时，检查总比不检查好，而检查也可能是唯一可用的方法，但损失已造成，有的无法弥补，有的可以返工但仍会增加开支。

（4）结束只以价格为基础的采购习惯（End the practice of awarding business on the basis of price tag alone）。没有质量的低价格是没有意义的，低质量会导致产品质量下降，所以整体成本开支上升是不可避免的结果。结束只以价格为基础的采购习惯，事实上可以减少整体成本开支。

（5）持之以恒地改进生产和服务系统（Improve constantly and forever the system of production and service）。

（6）实行岗位职能培训（Institute training on the job）。为了今天，确认每个人有技能和知识去做好目前的工作。

（7）建立领导力（Institute leadership）来管理企业。经理的工作不是监督，而是用领导力来领导。管理的目标是帮助人、机器和设备更好地工作。

（8）排除恐惧（Drive out fear），使每一个员工都可以为公司有效的工作。恐惧感越强，员工的工作效果就越差，极度的恐惧感会给公司或国家带来灾难性的后果。

（9）打破部门之间的障碍（Break down barriers between staff areas）。部门间要用合作代替竞争，推倒围墙。研究、设计、销售、生产部门的人员必须像一个团队一样去工作，去预测生产问题，尽早发现问题、解决问题，共同提高产品和服务质量。

（10）取消对员工的标语训词和告诫（Eliminate slogans, exhortations, and targets for the work force）。过度的标语告诫会产生压力、挫折感、怨气、恐惧、不信任和谎言，这种运动最终成为恶作剧式的玩笑。

（11）取消定额管理和目标管理（Eliminate numerical quotas for the work force. Eliminate management by objectives），用领导力来代替。

（12）消除打击员工工作情感的考评（Remove barriers that rob the hourly worker of his right to pride of workmanship. Remove barriers that rod people in management and in engineering of the ir-right to pride of workmanship）。管理人员的责任必须从单纯的数字目标转化到质量，这意味着要废除年度个人目标或排名绩效考核和目标管理。

（13）鼓励学习和自我提高（Encourage education and self-improvement for everyone），实行强劲的学习和自我提高教育计划。

（14）采取行动实现转变（Take action to accomplish the transformation）。让公司的每一个人通过工作实现转变，转变是每一个人的工作。

戴明认为，“员工只需对 15% 的问题负责，另外 85% 归咎于制度和流程”。什么样的流程就产生什么样的绩效。改进流程要注意目标是提高总体效益，而不是提高局部的部门的效益，为了企业的总体效益即使牺牲局部的部门的效益也在所不惜。

实施精益生产方式的准时生产制（JIT）就是决心追求完美、追求卓越，就是精益求精、尽善尽美，为实现七个零的终极目标而不断努力①。它是支撑个人与企业生命的精神力量，也是在永无止境的学习过程中获得自我满足的境界。

精益生产方式的实质是管理过程，包括人事组织管理的优化，大力精简中间管理层，进行组织扁平化改革，减少非直接生产人员；推行生产均衡化、同步化，实现零库存与柔性生产；推行全生产过程（包括整个供应链）的质量保证体系，实现零不良；减少和降低任何环节上的浪费，实现零浪费；最终实现拉动式准时化生产方式。

精益生产方式生产出来的产品品种能尽量满足顾客的要求，而且通过其对各个环节中采用的杜绝一切浪费（人力、物力、时间、空间）的方法与手段满足顾客对价格的要求。精益生产方式要求消除一切浪费，追求精益求精和不断改善，去掉生产环节中一切无用的东西，每个工人及其岗位的安排原则是必须增值，撤除一切不增值的岗位；精简产品开发设计、生产、管理中一切不产生附加值的工作。其目的是以最优质量、最低成本和最高效率对市场需求做出最迅速的响应。

---

① “零浪费”是精益生产终极目标，具体表现在 PICQMDS 七个方面：(1)“零”转产工时浪费（Products）；(2)“零”库存（Inventory）；(3)“零”浪费（Cost）；(4)“零”不良（Quality）；(5)“零”故障（Maintenance）；(6)“零”停滞（Delivery）；(7)“零”灾害（Safety）。

精益生产方式是围绕着最大限度利用公司的职工、协作厂商与资产的固有能力的综合哲学体系。这个体系要求形成一个解决问题的环境并对问题不断改进和改善，要求各个环节都是最卓越的，而这些环节打破了传统的职能界限。

当今制造业广泛使用的科学方法，如失效模式及效应分析(Potential Failure Mode and Effects Analysis)、错误检验设计法(Mistake Proofing Product Design)和设计产品的制造/装配设计(Design for Manufacturability/Assembly)等，都与丰田管理体系有关。使用这些方法的目的就是尽量把产品质量问题解决在设计阶段。这些都是戴明博士和田口玄一(Taguchi Genichi)博士的质量管理理念，即发现只能容忍浪费，预防才能避免浪费。

戴明强调，产品质量是生产出来的而非检验出来的，由生产中的质量管理保证最终质量。生产过程中对产品质量的检验与控制在每一道工序都进行，重在培养每位员工的质量意识，在每一道工序进行时注意质量的检测与控制，保证及时发现质量问题。如果在生产过程中发现质量问题，根据情况，可以立即停止生产，直至解决问题，从而保证不出现对不合格品的无效加工。

对于出现的质量问题，一般是组织相关的技术与生产人员作为一个小组，一起协作，尽快解决。要实施团队工作法(team work)，每位员工在工作中不仅是执行上级的命令，更重要的是积极地参与，起到决策与辅助决策的作用。组建团队的原则并不完全按行政组织来划分，主要根据业务的关系来划分。团队成员要强调一专多能，要求比较熟悉团队内其他工作人员的工作，保证工作协调的顺利进行，团队人员工作业绩的评定受团队内部的评价影响（这与日本独特的人事制度关系较大）。团队工作的基本氛围是信任，以一种长期的监督控制为主，避免对每一步工作的稽核，提高工作效率。团队成员的组成是变动的，针对不同的事物，建立不同的团队，同一个人可能属于不同的团队。

20 世纪 80 年代初，美国企业受到日本企业的严峻挑战，生产力和创新力明显下降。日本企业的异军突起使不少管理学者对日本式管理模式产生了兴趣，不少学者对日本企业与美国企业进行了比较研究。遗憾的是，戴明体系造就了日本企业的辉煌成就，却迟迟没有被美国企业接受。当时戴明在日本企业界是“盛名满天下”，在美国却是“无人能识荆”。

尽管戴明博士在 20 世纪 40 年代就已经是美国首屈一指的质量统计专家，但他真正被美国大众熟悉并且在工商管理界被广为推崇则是在他 80 岁以后。德鲁克评价：“戴明对日本和美国都产生了难以估量的影响。虽然在祖国屡遭拒绝，但他是一个特别爱国的美国人。”①

1980 年 6 月 24 日，美国国家广播公司（National Broadcasting Company，NBC）在其专题片栏目“NBC White Paper”中播放了电视制作人梅森女士（Mrs Mason）制作的“日本能，为什么美国不能?”（If Japan Can，Why Can't We?）的专题片，重点介绍了戴明在丰田生产体系（Toyota system）改进而来的精益化制造/工程管理（lean manufacturing/engineering）中所扮演的角色，使戴明和丰田生产体系在美国一夜成名，给美国

① Tom Davenport. “Interview with Peter Drucker.” CIO Magazine, September 15, 1997.

企业界带来了龙卷风式的震荡。美国产业界普遍认为，戴明是日本经济奇迹背后的驱动力。

从此以后，美国企业家们重新研究和评价了戴明质量管理的经营理念，加上戴明博士在美国及其他国家持续地举办为期四天的巡回专题讲座，讲授自己的质量经营的 14 个经典管理原则（Deming's 14 Points）。通过这些活动，戴明将一系列统计学方法和质量管理理念引入美国产业界，检测和改进许多美国企业的生产模式与管理体系，从而为后来摩托罗拉公司和通用电气公司的杰克·韦尔奇创建六个西格玛管理法奠定了基础。

从 1980 年起，福特汽车公司、美国电报电话公司（AT&T）等美国大型公司聘请戴明担任质量经营顾问。对于这一现象，美国著名企业改造专家约翰·惠特尼（John O. Whitney）说：“美国需要戴明这种震荡疗法。”

从这时开始，包括福特汽车公司在内的不少美国企业抛弃了目标管理，转而采用丰田生产体系，尤以福特汽车公司的管理模式转型最为典型。

20 世纪 60 – 70 年代，当福特汽车公司的发展再次处于高峰时，亨利·福特二世又犯了他祖父曾经犯过的错误，变得越来越专横和藐视职业经理人。他认为，公司的生产、经营诸环节已经理顺，自己已经“毕业”了，毋需职业经理人再为福特汽车公司去“攻城略地”。如果再留用这些招聘来的职业经理人，他们的贡献只会越来越高，功劳只会越来越大，迟早有一天会“功高盖主”，威胁到福特家族对公司经营管理权的掌控。

1960 年，亨利·福特二世对福特汽车公司总经理欧内斯特·布里奇（Ernest R. Breech）说："欧恩尼[1]，我已经毕业了。"意思是福特公司不再需要欧内斯特·布里奇了。布里奇很识相，趁机引退，不久就离开了福特汽车公司。为福特汽车公司的再创业和兴旺发展立下汗马功劳的罗伯特·麦克纳马拉等十位"旋风孩子"也陆续离去。到了1968年，亨利·福特二世采取突然袭击的办法，把公司里一直干得很好，且有崇高威望的总经理詹姆斯·米勒（James Miller）解雇了，由被他延揽过来的通用汽车公司副经理诺森接替。这件事引起公司许多高层管理者的强烈不满，使许多高层人士对亨利·福特二世产生了不信任感。诺森在福特汽车公司才上任19个月，也如前任一样，被亨利·福特二世炒了鱿鱼，由李·艾科卡（Lee Iacocca）取代。然而，李·艾科卡也遭到了福特二世的猜疑和妒忌，在1978年10月15日被亨利·福特二世无情地、毫不考虑后果地解雇了。福特汽车公司在10年内连续更换三个在业内名望极高的总经理，遭到了美国《商业周刊》（Business Week）、《财富》（Fortune）等财经界刊物的猛烈批评，认为亨利·福特二世排斥职业经理人的做法是自毁长城，必将使福特汽车公司元气大伤。亨利·福特二世排斥职业经理人的所作所为，给公司带来了巨大的灾难。当时，美国第三大汽车公司的克莱斯勒汽车公司正处于困境中，一年内亏损数亿美元，濒临破产的边缘。在被福特二世解雇后的第18天，李·艾科卡被聘为克莱斯勒汽车公司总经理。李·艾科卡到克莱斯勒上任后，凭着记有福特公司几百名经理级人员姓名，以及他们的专业和特长的记事本，李·艾科卡第一个惊人之举就是招募"福

---

① 欧恩尼（Erne）是欧内斯特的昵称。

特人”。他聘请委内瑞拉福特子公司经理格林洛尔德为主管克莱斯勒公司财务工作的副总裁，同时格林洛尔德还带来了该子公司财务部经理米勒，李·艾科卡聘米勒为克莱斯勒汽车公司总会计师。另外，李·艾科卡还聘请了福特汽车公司已退休的销售经理、负责生产的副总经理、负责采购的经理三人，大大增强了克莱斯勒汽车公司的经营管理实力。一大批有经验和一技之长的“福特人”纷纷涌入克莱斯勒汽车公司，使福特汽车公司元气大伤。最后导致福特汽车公司亏损严重，陷入经营困境。在美国汽车市场上，福特汽车公司所占的比例一年小于一年。1978 年占 23.6%，1981 年跌至 16.6%。1981—1982 年，公司亏损 30 亿美元，福特汽车公司又面临着新的危机。

1978 年，福特汽车公司历史上最大的一次质量事故——福特斑马事件（Ford Pinto）① 使福特汽车公司陷入消费者信任危机之中，公司经营异常困难。加上李·艾科卡成为克莱斯勒汽车公司总经理后，开始向亨利·福特二世复仇，他凭着一往无前的精神和卓越的经营管理使克莱斯勒汽车公司起死回生，渡过经营难关，使克莱斯勒汽车公司迅速活跃在美国汽车市场上，而福特汽车公司却为自己造就了一个强大的竞争对手。

1980 年 3 月，63 岁的亨利·福特二世看到，由于公司员

---

① 福特斑马（Ford Pinto）汽车上市之前，就有人产生追尾可能导致福特斑马汽车起火的质疑。油箱布置在汽车尾部，可能会在追尾时刺穿油箱导致起火，甚至爆炸。但福特并没有改变福特斑马汽车的设计，而是侥幸地认为跟个别受害者打官司要比召回福特斑马汽车省钱。在几次遭到刑事指控后（福特最终没有被判有罪），福特在 1978 年召回 150 万辆福特斑马汽车，并对油箱添加额外结构以保证福特斑马汽车不会起火。遗憾的是无法弥补福特斑马汽车的声誉，福特斑马汽车在 1981 年永远退出了市场。

工对自己的不信任感，要想挽回自己掌管几十年的福特汽车公司昔日的影响已经不可能了。危机四伏的局面使他清醒地看到，时代发展到今天继续用那种色彩浓厚的家族经营方式来管理现代化企业，必将在激烈的竞争中灭亡。他不得不顺应历史的潮流，急流勇退，忍痛割爱，宣布辞掉福特汽车公司董事局主席的职务，把由他掌管达 35 年之久的公司经营管理大权交给福特家族以外的人——利普·卡德威尔（Lip Cardwell），由利普·卡德威尔组织公司顾问团，采用专家团队的新领导体制来领导福特汽车公司。这一举动宣告了有 77 年历史的“福特王朝”的结束。1982 年 10 月 1 日，65 岁的亨利·福特二世根据公司规章制度正式退休。从此，亨利·福特二世和他的亲属除了拥有这家公司 40% 的股份外，不再是这家公司经营管理团队的成员，公司完全交给了职业经理人团队。

1980 年秋天，福特汽车公司首席执行官唐纳德·彼得森（Donald Peterson）聘请戴明担任福特汽车公司质量管理与公司经营的顾问。戴明来到底特律，开始将戴明体系引入到福特汽车公司，帮助福特汽车公司走出困境。那时的福特汽车公司由于日本竞争对手的冲击和大量优秀职业经理人的离职而严重地“内出血”，刚挣扎逃出质量事故的厄运，公司上下正在为重新赢得消费者的信任、夺回市场而努力。经过调查研究之后，戴明提出了福特汽车公司长期的生产程序改进方案、严格的生产纪律及管理体系的改革，抛弃了目标管理，取而代之的是戴明体系。经过艰难的复苏，福特汽车公司逐渐走出困境，戴明体系对改善福特汽车的质量和完善生产工艺纪律具有明显的作用。

20 世纪 80 年代后期，福特公司开始和一系列知名的国际汽车公司合作，在国外进行本地化生产，全球扩张把福特带入了最佳的境界，福特汽车公司恢复到全球第三汽车制造商的地位。

1988 年，戴明的第一本管理学著作《转危为安》（Out of Crisis）出版发行，受到了学术界与企业界的欢迎和追捧。《转危为安》的出版，改变了人们对戴明的印象，原来人们普遍认为戴明的贡献主要是把统计学原理应用到质量管理，但戴明的著作表明，他的方法背后有着系统的管理哲学，戴明也成为全世界公认的管理学大师。

戴明的最后一本著作《戴明的新经济观》则试图把他的管理哲学应用于更为广泛的制度层面。该书重申了他所珍视的“渊博知识系统”，其目的是转变西方主流的管理风格。戴明认为，一个系统本身理解不了自身，转变需要来自系统外部的观点。而“渊博知识系统”就是提供这样的外部观点。这一知识系统由内在相关的四部分构成：对系统的认识、有关变差的知识、知识理论、心理学。戴明说：“一旦个人理解了‘渊博知识系统’，他就会把其中的原则应用到各类人际关系，他对自己决策的判断和投身所属组织的转变就有了基础。经历了转变的个体将树立榜样，善于倾听又毫不妥协，并能持续地教会别人。”

第五节　杰克·韦尔奇对戴明体系说不

20 世纪 80 年代初，为了增强企业竞争能力和挽救美国产业的颓势，美国许多大型企业纷纷抛弃“德鲁克管理体系”，改用戴明体系。但有一家大型企业却坚持采用“德鲁克管理体系”，对其进行了改造，将德鲁克的目标管理改造成“数一数二”的目标。以德鲁克的目标管理为基础，改造成杰克·韦尔奇所倡导的最经典的绩效管理模式：末位淘汰制。这种模式以“活力曲线”（Vitality Curve）为基础，将员工划分为不同的类别，然后严格地加以区别对待和排序，按不同绩效层次进行强制比例划分，并据此激励先进的 10%，辅导或淘汰后进的 10%，通过竞争淘汰来发挥人的极限能力，并将戴明的全面质量管理改造为六西格玛管理法。这个企业就是美国通用电气公司（General Electric，简称 GE）。

1981 年 4 月，年仅 45 岁的杰克·韦尔奇（Jack Welch）

正式执掌通用电气公司，成为该公司成立以来的第六任董事长兼首席执行官（CEO），这也是通用电气公司历史上最年轻的董事长和首席执行官。

韦尔奇初掌通用电气公司时，通用电气公司的年销售收入为250亿美元，盈利15亿美元，市值在全美上市公司中仅排在第十名。当时这家已有117年历史的公司，机构臃肿、等级森严、对市场需求反应迟钝，在全球市场竞争中核心能力不显著、不突出。当时通用电气的经营业务范围从航空发动机到电视机、微波炉所用的器皿，品种繁多，经营的产品有三万多种，共有72个制造类事业部、36个海外事业部，类似于未解体之前的国际电报电话公司（ITT）。

1981年5月，在杰克·韦尔奇执掌通用电气的第二个月，他把德鲁克请到通用电气公司管理培训中心，向德鲁克请教如何使通用电气公司更有市场竞争力。按照韦尔奇的理念，在全球竞争激烈的市场中，只有在市场上领先对手的企业才能立于不败之地。杰克·韦尔奇后来回忆：1981年，他就任通用电气公司CEO，做的第一件事就是拜访德鲁克①。德鲁克问他的第一个问题：如果通用电气公司不在现在的经营领域中，通用电气公司会进入这个经营领域吗？韦尔奇深受启迪。韦尔奇对德鲁克的目标管理进行了改造，将通用电气公司产业结构重整的目标和衡量标准确定为：企业能否跻身于全世界同行业的前两名，即任何事业部存在的条件是在世界市场的核心竞

---

① 1979年，杰克·韦尔奇担任通用电气公司副董事长，时任通用电气董事长的雷杰纳德·琼斯（Reginald H. Jones）将韦尔奇介绍给德鲁克。在韦尔奇担任通用电气公司董事长之前的两年中，两人有过多次交流。

争能力上"数一数二"，否则就要被砍掉——整顿、关闭或出售。①

韦尔奇的"通用电气革命"（GE Revolution）中的一个简单原则就是：通用电气收购任何企业，被收购方必须证明与通用电气现在的产品或服务有很好的互补性，这样才可以构建通用电气的集束式组织（Gathered Organization）。② 韦尔奇想通过减少公司内部的垂直界限和水平界限，消除公司与客户及供应商之间的外部障碍，突出若干个战略经营单位共有的核心竞争能力。因此，必须按企业的核心竞争能力标准来重新划分企业内部的经营单位，使传统多元化经营的大型企业内部按战略业务单元划分战略经营单位的方法，转变为按企业核心竞争能力标准来重新划分为模块化簇群组织形式的方法。通用电气按照能力要素重组的原则，将这些战略业务单元变成一个个模块化簇群组织形式，也就是说，按突出其某个方面核心竞争能力的原则对这些战略业务单元进行了重组。

通用电气能力要素重组的做法，不是按传统的方法来定义市场和根据市场来决定组织形式，而是按某种市场顾客的全部需求来定义模块化簇群组织形式应当具备什么核心能力，需要收购或兼并什么样的企业，才能使模块化簇群组织形式具备最强的核心竞争能力，由此提出通用电气能力整合的创新诉求。比如，通用电气已经拥有了几家从事医疗行业的企业，它并没

① Jack Welch and John A. Byrne. Straight from the gut. New York：Warner Business Books, September 11, 2001.

② 或许用模块化簇群比用集束式组织突出若干个战略经营单位共有的、互补的核心竞争能力，或组织能力集群概念更准确，更与国际流行的概念一致。

有严格地定义其市场（比如说医疗成像系统或患者病理记录软件），而是把作为一个医疗保健供应商所需要提供的产品和服务作为一个整体市场，通用电气的 Healthcare 模块化簇群组织作为一个整体要满足该市场顾客的全部需求。

需要指出的是，通用电气的模块化簇群并不同于 20 世纪 70 年代中期通用电气实行的“执行部制”，也就是“超事业部制”（Super Group）的组织形态。①“超事业部制”组织形态就是在各个事业部上再建立一些“超事业部”，来统辖和协调各事业部的活动，也就是在事业部的上面又多了一级管理。模块化簇群与“超事业部制”组织形态的不同在于：

（1）“超事业部制”组织不是一个利润中心，它仅仅是协调各事业部活动的一级管理机构，而模块化簇群是一个利润中心，它拥有投资和收购兼并其他企业重新形成模块化簇群的权力和决定簇群发展方向的战略选择权。

（2）“超事业部制”组织是以业务边界来划分的，模块化

---

① 1978 年 1 月实行“超事业部制”是时任通用电气董事长的雷杰纳德·琼斯（Reginald H. Jones）的一个创举。在改组后的体制中，董事长琼斯和两名副董事长组成最高领导机构执行局，专管长期战略计划，负责和政府打交道，以及研究税制等问题。执行局下面设 5 个“执行部”（即“超事业部”，包括消费类产品服务执行部、工业产品零件执行部、电力设备执行部、国际执行部、技术设备材料执行部），每个执行部由一名副总经理负责。执行部下共设有 9 个总部（集团），50 个事业部，49 个战略经营单位。各事业部的日常事务，以至有关市场、产品、技术、顾客等方面的战略决策，以前都必须向公司最高领导机构报告，而现在则分别向各执行部报告就可以了。这 5 个执行部加上其他国际公司，分别由两位副董事长领导。此外，财务、人事和法律三个参谋部门直接由董事长领导。在琼斯领导下的通用电气，其年平均收益率高达 29.8%，而琼斯本人也以压倒性的票数优势，荣登全美“最优秀 CEO”的宝座。

簇群不是以业务边界来划分组织形态的，而是以核心竞争能力构建的能力模块化组织集群。模块化簇群的构建使通用电气从原来的9个管理层次变成今天3~4个管理层次，一方面使最高领导机构减轻日常事务工作，便于集中力量掌握有关企业发展的决策性战略计划；另一方面也增强了企业的市场反应速度、灵活性、创新能力。

（3）“超事业部制”组织是稳定的战略经营单位群，而模块化簇群是变动的战略经营单位群。通用电气判定模块化簇群的能力要素指标是技术、服务、以客户为中心和全球化。只要通用电气认定模块化簇群中某个内部战略经营单位不具备某个方面的核心竞争能力，它们就会转而考虑如何把这个战略经营单位从模块化簇群中剔除出去，而重新收购能力更强的企业组合进入模块化簇群。

韦尔奇强调了通用电气“必须居全行业领先”的思想，以提高通用电气所有业务的门槛。他公开宣扬，唯一目标是让通用电气成为世界上最具竞争力的企业。在这一阶段，通用电气一共出售了价值110亿美元的企业，解雇了17万员工，韦尔奇因此得了“中子弹杰克”（Neutron Jack）的绰号。同时，通用电气也买进了价值260亿美元的新企业。通用电气现有企业中表现最佳的企业都符合以下四点要求：

第一，在行业内核心竞争能力和市场占有率数一数二。

第二，具有远高于一般水准的投资报酬率。

第三，具有明显的竞争优势。

第四，能充分利用通用电气特定的杠杆优势。

比如，1986年韦尔奇花了60亿美元购买美国无线电公司（RCA），从而使通用电气控制了国家广播公司（NBC），通用电气一跃成为全美最大的服务公司之一，实现了从一个年迈的工业制造商向一个增长潜力巨大、经营灵活的服务提供商的转型。通用电气资本基金（GE Capital Bonds）模块化簇群基本上是通过收购来组建的，但它作为通用电气金融服务的重要载体，2002 年为通用电气贡献了 40% 以上的利润。

韦尔奇认为，服务导向比产品导向重要，决定将通用电气的重点从卖产品转变为向用户提供解决方案（solution）。1981 年，通用电气制造业的收入占销售总收入的一半以上，而到了 1997 年，通用电气 2/3 的收入来自于现代服务业。预计今后服务业将是通用电气高速发展的主要发动机。通用电气宣称：“下个世纪的蓝图是，通用电气不仅是一个销售高质量产品的公司，还是一个提供全球性服务的公司。”韦尔奇的新服务战略旨在让通用电气的工业部门重现生机。

韦尔奇初掌通用电气时，通用电气旗下仅有照明、航空发动机和电力三个事业部在市场上保持领先地位。如今已有 12 个模块化簇群在各自的市场上数一数二，如果单独排名，通用电气有 9 个事业部能入选《财富》杂志的世界 500 强。在韦尔奇执掌通用电气的 19 年中，公司一路领跑，并因此连续 3 年在美国《财富》杂志“全美最受推崇公司”评选中名列榜首。

20 世纪 90 年代以来，通用电气年复一年的增长，源于一直在全公司范围内推行的三大增长措施——全球化、服务和六西格玛质量标准。

从 1995 年下半年开始，一项被称为六西格玛管理方法

(Six Sigma discipline)① 的活动像熊熊烈火一样燃遍整个通用电气。从此，六西格玛管理方法成为通用电气一切理想和愿望的中心环节，成为一种规范化的工作方法。通用电气把六西格玛管理方法应用于公司所经营的一切活动，如债务记账、信用卡处理系统、卫星时间租赁、法律合同设计等，通用电气藉此活动基本消灭了公司每天在全球从事生产的每一个产品、第一道工序和每一笔交易的缺陷和不足。韦尔奇在六西格玛管理方法的推行方面力度非常大，成效卓著，通用电气业绩的增长在华尔街取得震撼效果。通用电气在其 1999 年的年报中指出，推行六西格玛管理方法使该公司的税后收益增加了 20 亿美元。

1998 年，通用电气股票的每股总回报率高达 41%，而在过去 18 年中，通用电气给予股东的年均回报率为 24%。1999 年，通用电气实现了 1110 亿美元的销售收入（世界第五）和 107 亿美元的盈利（全球第一），市值已位居世界第二位。从 1981 年到 1999 年，韦尔奇担任通用电气公司 CEO 的 20 年间，通用电气公司股票的市值从 120 亿美元上升到 4920 亿美元。

韦尔奇认为，创造“通用电气神话”的第一个核心思想来自于德鲁克。杰克·韦尔奇说：“我对通用电气公司的核心理念就是来自彼得·德鲁克。”② “全世界都知道彼得·德鲁克

---

① 六西格玛管理方法（Six Sigma discipline）在 20 世纪 80 年代中期由美国摩托罗拉公司（Motorola）首创，并在 20 世纪 90 年代末形成一股风靡世界的管理热潮。六西格玛管理方法作为一门管理哲学，最先是由“六西格玛之父”比尔·史密斯（Bill Smith, Father of six Sigma）于 1985 年在摩托罗拉公司提出来的。

② Quoted by Stefan Stern. “A proselytiser for the human side of business.” The Financial Express, December 05, 2005.

是20个世纪最伟大的管理思想家”（The world knows he was the greatest management thinker of the last century）。[①] 2005年11月，韦尔奇在接受《洛杉矶时报》（Los Angeles Times）采访时，讲述了他与德鲁克的一次简短对话，这次对话让他重新思考通用电气的战略方向。“德鲁克说，‘如果你现在没有加入这个经营领域，你今天会加入吗？如果不会，你会怎么处理？’简单，对吧？却无比有力。”“‘中子弹杰克’本身，就是对目标管理的字面回应。当杰克·韦尔奇开始关注员工如何增加价值超越目标时，通用电气要么在其经营领域的市场上数一数二，要么就退出。”韦尔奇说道：“他们就不再是《蝇王》（Lord of the Flies）[②] 式的相互倾轧组织了，他们最大限度地利用了目标管理。”韦尔奇认为，“很多年前，丰田公司（Toyata）教我们学会了资产管理；摩托罗拉（Motorola）和美国联合信号公司（Allied Signing）推动我们学习六西格玛管理方法；思科（Cisco）和Trioloy帮助我们学会了数字化和数据管理。这样，世界上商业精华和管理才智就都集中在我们手中，而且面对未来，我们也要不断追寻世界上最新、最好的东西为我所用。”

不可否认，杰克·韦尔奇当年的“活力曲线”（Vitality Curve）对通用电气公司重振士气、再次创业、走向世界产业

---

① Gautam Ghosh. “Why Peter Drucker's ideas still matter: The man who invented management.” Business Week Cover Story, November 28, 2005.

② 1983年诺贝尔文学奖得主、英国小说家威廉·戈尔丁（William Golding, 1911－1994）的《蝇王》（Lord of the Flies）反映了一个冷酷的儿童世界，说明人性中与生俱来的邪恶颠覆了儿童乌托邦的神话。在书中，拉尔夫（Ralph）问佩吉（Piggy）：“是什么使得这一切变得如此混乱不堪呢？”（What makes things break up like they do?）对此，作者威廉·戈尔丁自己的解释为：造成孤岛上社会崩溃的原因不是别的，正是人性中与生俱来的邪恶。

界的巅峰，起了非常重要的作用。以至于这种绩效分布方法被定义为绩效管理的“金科玉律”，在全球大行其道。但是否能够取得好的结果，应当看它与每一个公司具体实践相结合的情况。

莱文森领导力咨询公司首席执行官盖里·克莱恩斯博士（Gerry Kraines）对通用电气改造目标管理并取得优异成果给予了高度评价。克莱恩斯博士强调在目标管理运用方面应当与每一个公司的具体实践相结合，通用电气公司就是很好的榜样。通用电气一开始采纳了目标管理，但之后成功地改造了它。韦尔奇在接受《财富》杂志采访时说：“实现目标是因为他们想得到升华。他们想努力工作，想获得提升和期权。但是，他们还想为一家不同凡响、能为世界做出重大贡献的公司工作。”

第六节 争论：绩效考核的存与废

可以说，目标管理是德鲁克被其他管理学家误解最深的管理概念之一，威廉·爱德华兹·戴明博士对目标管理怀有很深的敌意。正如 IBM 高级研究员、管理咨询师迪安·斯皮泽博士（Spitzer, 2007）所说：“再没有比目标管理更加饱受争议的话题了。”①

美国目标管理专家戴尔·麦康基（MacConkey, 1975）在所著《非营利组织的目标管理》（MBO for nonprofit organizations）中认为，“目标这个词早在圣经时代就被管理人员所熟知和应用，但是作为管理制度的基础，是在德鲁克明确提出这

① Dean R. Spitzer. Transforming performance measurement: Rethinking the way we measure and drive organizational success. New York: American Management Association, 2007.

个概念（1954 年）后过了二十多年才成为现实。正像我们推行全面质量管理（TQC）、目标管理、开展 QC 小组活动那样，10 年过去了，但形式主义的怪圈仍然制约着一部分人的行为。因此，我们还不能说一切都成功了。”① 伦敦商学院组织行为学副教授琳达·格拉顿（Gratton，2000）评论：“目标管理这个概念已完全植根于每个组织中，尽管目前目标管理或许更多是受数据驱使，这并非德鲁克当初想看到的。”②

戴明（Deming，1988）指出，目标管理与他所倡导的全面质量管理在理念上是相抵触的：目标管理为目标导向，而非过程导向，仅注重结果，全面质量管理正好强调必须注重对全过程的管理和控制；目标管理强调业绩和成果，不注重工具，不强调达成结果所采取的手段。这与他倡导的质量管理观念有很多冲突的地方。戴明强调，一个组织可以用任何手段达到所需要的任何目标，这是一种短视行为，并不能使组织的管理水平真正地提高。戴明认为，一个组织可以通过任何工具，在短期内达成它想要的任何目标。

撰写戴明博士自传的安德烈·嘉伯尔（Gabor，1992）在《探索质量的人：带给美国质量革命的威廉·爱德华兹·戴明》一书中引述了戴明博士对目标管理的评价。戴明博士认为，企业是一个为了实现目标而组织起来的系统，就像一辆汽车，它的发动机和传动系统决定了它的速度，要想提高极限速度，只有改进系统，而奖惩驾驶员只会损坏汽车。该书结尾综

---

① Dale D. MacConkey. MBO for nonprofit organizations. New York：Amacom，1975.

② Lynda Gratton. Living strategy：Putting people at the heart of corporate purpose. New York：Financial Times/ Prentice Hall，2000.

合戴明的观点，指出一家公司“大可变动账面数字，或卖掉一个体质最健全的经营单位”，让公司财务报表出现利润。① 人们一般把戴明及其追随者的上述言论称为“汽车系统论”。

戴明把德鲁克的目标称为“定额”（quotas)，他批评说:“定额是改进质量与提升生产力的一大障碍。我还没有见过任何一家公司在确定定额时，会同时建立一套帮助员工改善工作方法的系统。”戴明认为，目标管理可能导致对数字化目标的追求，而数字化目标就是定量考核，比如，今年要比去年增长8%。这听起来很科学，其实人们忽略了一个重要的核心问题:用什么方法来核定数字。为了完成“数字”，人们学会了扭曲真相和作假。每个人都会想尽办法达到分配到手的目标（配额)，但却不对由此造成的损失负责。美国银行曾经制定了目标绩效考核制度，以发放贷款的数额考评贷款员的表现，表现最好的员工可以获得超过表现中等者收入50%的奖励。结果，这家银行的贷款员完成了贷款数额，美国银行也得到了大批的坏账。我们不能责怪这些银行职员，他的生计要靠完成每月配额才能维持。

戴明挖苦地说:“目标管理只会产生那些‘只看表面数字的经理’(visible number only manager，简称 VNO manager)。”戴明认为，第一，销售定额违反客观规律；第二，生产定额是不断改进的巨大障碍；第三，改变对待人的方式态度，用信任代替控制；第四，公司规章制度要针对95%可信任的员工。他建议，必须取消定额管理和目标管理（eliminate numerical quotas for the work force and eliminate management by objectives)，用

① Andrea Gabor. The man who discovered quality: How William Edwards Deming brought the quality revolution to America. New York: Penguin, 1992.

建立领导力（institute leadership）来代替。要消除打击员工工作情感的考评（remove barriers that rob the hourly worker of his right to pride of workmanship. remove barriers that rod people in management and in engineering of the irright to pride of workmanship），管理人员的责任必须从单纯的数字目标转化到质量。这意味着要废除年度个人目标或排名绩效考核和目标管理。①

戴明（Deming，1988）还认为，人们在实施目标管理时，许多公司往往需要进行目标细分以便使目标落实，即把总目标划分为各组成部分或各部门的具体目标。但实践中似乎所有分目标的总和就是总目标。如果企业的总目标就是各个部门分目标的简单相加，那么采取目标管理的方法，对企业总目标的实现并没有任何积极的意义。戴明列举了一个著名的案例来说明目标管理的荒唐：纽约交通警察局（New York Transportation Police Department，简称 NYTPD）有一段时间连续出现错误和非法逮捕事件，无辜的人被指控犯有重罪，其中绝大多数是黑人和墨西哥后裔。事件曝光后发现一个分局的 4 名警察要对这些错误负主要责任，这 4 名警察全部被停职接受调查。奇怪的是，调查结果显示：这 4 名警察是该分局表现最佳的警察，原来这个分局实行的是目标管理法，警察的工作成绩、表彰、提升是靠逮捕数量，尤其是重罪和性骚扰罪逮捕数量决定的。警察中的白人种族主义分子乘机滥用权力，用非法残忍的手段迫害少数族裔，还得到了分局的认可奖赏，但他们对社会和警察局造成了巨大的损害，民众尤其是少数族裔对警察和执法人员

① William Edwards Deming. Out of the crisis. Cambridge，Massachusetts：Cambridge University Press，1988.

失去了信心，抗议活动造成了族群对立和社会动荡。戴明挖苦地把目标管理比喻为"交通警察每天都要开出一定数量的交通违规罚款单（tickets）。"①

事实上，戴明的这个案例并不能说这是目标管理的错，而是一些组织引入目标管理方法没有取得预期的成功，是对成果领域的错误定义。

在戴明的追随者眼里，丰田生产体系（Toyota System）的精益生产方式（lean production）远胜于目标管理。美国质量管理咨询专家拉菲尔·阿克雅（Aguayo，1990）在他的《质量管理鼻祖：戴明博士》一书中带有讽刺的语气说道："彼得·德鲁克，著名的管理学者、管理咨询专家，十分积极地倡导一个绩效考核系统，该系统被德鲁克称为'目标管理'。"在阿克雅的眼里，目标管理是那些在现实世界中把公司做垮了的管理方式的代名词。阿克雅认为，戴明的告诫十分明确：绩效考核（performance appraisal）不管称它为管理控制或其他名字，包括目标管理在内，是唯一对今日美国管理最具有破坏性的力量。美国可以出口任何东西，就是不能出口美国现在的管理方法（意指目标管理），至少不能出口到友好的国家。② 另一位戴明的追随者，美国管理咨询顾问彼得·斯科尔特斯（Scholtes，1998）在他的《戴明领导手册》（The Leader's Handbooks）一书中写道："目标管理法多少只能算是'心想事成'的梦想清单，无异于我们儿时圣诞节前或生日时的祝愿。老板这么

---

① William Edwards Deming. Out of the crisis. Cambridge，Massachusetts：Cambridge University Press，1988.

② Rafael Aguayo. Dr. Deming：The American who taught the Japanese about quality. New York：Carol Publishing Group，October 1990.

说：‘我有些心愿，现在你要负责将它们实现’。”①

管理学家和管理实际工作者都知道，戴明的方法主要是把统计学原理应用到质量管理，他给人们的初步印象主要是质量统计方面的专家。但是，戴明在其著作《转危为安》中表明，他的质量管理方法背后有着系统的管理哲学支撑。戴明的管理哲学的总体思路是强调对人的正面引导和激励，以调动一线员工的积极性和责任感，这样可以在生产和服务过程中减少差错和浪费。也正是基于这样的理念，戴明才反对以恐惧和追究过失为手段的绩效考核。

戴明及其追随者列举出来的案例都是日本企业的案例，现存实例就是丰田公司，但唯独没有美国公司和中国公司的案例。这说明戴明的管理体系仅仅在日本取得了成功。主要有两个原因：一是在第二次世界大战后日本正处在绝望之中，并希望进行任何方面的尝试，这是戴明体系能够在日本推行的一个重要原因；二是戴明关于团队与责任共享的观点，深深地触动了日本文化的神经。戴明所强调的团队精神，而非个人成绩的观点，使日本人能够分享创意与责任，并促进年功序列制（the system of year added wage）与终身雇佣制（the system of all life employment）的发展。这是一种西方人认为难以预期、更难以理解和接受的思想。

然而，英国自由记者克里斯多弗·瑞德（Reed，1994）在为戴明所写的讣告中说：“不幸的是，整个戴明体系通过定义的

---

① Peter R. Scholtes. The Leader's handbook: A guide to inspiring your people and managing the daily workflow advice for leaders in the new millennium. New York: McGraw－Hill, 1998.

方式来坚持它将解决所有的问题。”① 这就彻底地揭开了戴明体系的谜底，那就是管理咨询顾问借戴明体系在卖万能灵药。

在我们看来，德鲁克的目标管理与戴明及其追随者之争，实质上是在企业实践中是否实施绩效考核（performance appraisal）之争。包括德鲁克在内赞同进行绩效考核的人士认为，全面与客观的绩效考核会改进与提升员工的表现水平；通过上司与下属之间定期的面谈，员工得到工作的反馈意见，增进个人对组织整体机构目标的理解，察觉个人学习与改进的需要。“绩效考核”背后的假设是：员工的工作环境是稳定的和可实现的，由员工自我控制而产生的结果和员工个人对整体的贡献，是能够清楚地与其他员工分析量度，量度的标准是合理与可实现的，等等。哈佛大学教授罗伯特·埃克尔斯（Eccles，1991）针对戴明的“汽车系统论”，针锋相对地指出绩效考核就像汽车的方向盘，能够实时把握企业、团队和个人的前进方向，使其不至于偏离企业的发展初衷。② 人力资源研究专家彼得·博西奥（Boxall，1996）指出，缺乏有效的绩效考核，薪资、激励、晋升、培训等活动就失去了依据。③

反对进行绩效考核的代表性人物彼得·斯科尔特斯（Scholtes，1998）认为，“绩效考核”里面有不少假设是站不住的。在传统科层制组织架构中，推行“绩效考核”就是权

---

① Christopher Reed. “For the benefit of the motherland”. Observer, 9 Jan 1994.

② Robert G. Eccles. “The performance measurement manifesto.” Harvard Business Review, 1991, 69 (1/2): 96 - 109.

③ Peter F. Boxall. “The strategic HRM debate and the resource-based view of the firm.” Human Resource Management Journal, 1996, 6 (3): 59 - 74.

力支配的管理手段，背后的心态是对员工表现的不信任，理想地认为通过客观的衡量绩效值就能赏罚分明、知人善用。绩效考核的最大问题在于会损害组织系统内自发的力量，迷信采用外部赏罚诱导就可推动员工向前奋进。① 斯科尔特斯还引用了纽约一家公关公司的总裁蒂莫西·谢尔哈特（Schellhardt, 1996）所做绩效考核系统的研究，指出 90% 以上的企业的绩效考核是失败的。如果工商界对“绩效考核”的效能存有疑虑，企业领袖不经过细心考虑就盲目引入目标管理，只会给企业带来灾难性的后遗症!② 另一位美国管理咨询顾问弗雷德·尼科尔斯（Nickols, 1997）将行为（behavior）和绩效（performance）进行了区分，认为行为是指一种活动（activities），而绩效是指活动的结果（outcomes），二者之间最本质的区别在于手段与目的、活动与结果的区别。尼科尔斯同样认为绩效考核弊多于利：绩效考核增加了员工情绪的困扰（如绩效考核前后的忧虑、抑郁、压力感等）；打击员工士气与工作动机；过分强调员工个人多于整体；看重目标多于过程；只看短暂结果而忽略长远视野；将现存的价值与偏见制度化；增加惧怕而减少员工之间的信任等。③

对于戴明及其追随者对德鲁克目标管理的批评，我们认为

---

① Peter R. Scholtes. The Leader's handbook: A guide to inspiring your people and managing the daily workflow advice for leaders in the new millennium. New York: McGraw-Hill, 1998.

② Timothy D. Schellhardt. "Annual agony: It's time to evaluate your work, and all involved are groaning." The Wall Street Journal, November 19, 1996, pp A1/A5.

③ Fred Nickols. "Don't redesign your company's performance appraisal system, scrap it!". Corporate University Review, 1997, May/June, 54 – 59.

是不公平的。德鲁克推广目标管理的本意，是想与泰罗的"监督式管理"（supervise management）做明显的区别，扬弃泰罗的"科学管理"（sciencific management）。从这个视角看，德鲁克和戴明的目标是相同的，都想从管理中剔除"监督式管理"，把人们从泰罗的"科学管理"中解放出来，从而建立起一个非独裁的、能够充分发挥员工积极性、主动性和创造性的工作环境和管理方式。员工只有在这样的环境和管理方式中工作，戴明所倡导的质量保障体系才能实现。需要强调的是，德鲁克的目标管理是用来代替"监督式管理"的，而非替代过程管理，戴明担心用目标管理替代过程管理，是戴明过于敏感了。事实上，连聘请戴明来改造福特管理体系的福特汽车公司首席执行官唐纳德·彼得森（Donald Peterson）也认为，在企业管理中不能没有目标，他向福特汽车公司的工程师发布了一道命令，让他们必须按照目标值进行新型汽车的设计。

我们认为，目标管理重在突出员工的自我控制，而非"监督式管理"。但严格地说，目标管理是基于控制导向的组织管理范式，对于知识经济时代运转速度加快的团队有不适应的问题（Scott and Einstein，2001）①，同时也对以知识员工为基础的组织有不相适应的方面（Brockner，2006）②。德鲁克（Drucker，1999）在《知识员工的生产力：最大的挑战》中严肃指出，现实生活中的组织冲突，大多源于员工的工作自主性

① Susanne G Scott, and Waltei O Einstein. "Strategic performance appraisal in team-based organizations: One size does not fit all." Academy of Management Executive, 2001, 15 (2): 107 – 116.

② Joel Brockner. "Why it's so hard to be fair." Harvard Business Review, 2006, 84 (3): 122 – 129.

要求与组织不合适宜的控制之间的对立。① 这说明，在知识经济时代目标管理还存在着如何发展的问题。

严格地说，盖里·克莱恩斯博士（Gerry Kraines）对目标管理的评价是公正的。他强调在目标管理运用方面应当与每一个公司的具体实践相结合，美国通用电气公司就是很好的榜样。通用电气一开始采纳了目标管理，但之后成功地改造了它。瑞典管理学家斯文－爱里克·斯卓斯特朗（Sjostrand，1997）在《管理的两面性》一书中一针见血地指出，管理学具有很强的“亚努斯情结”（Janus complex），即两面性，理性行为和非理性行为往往很难兼顾。② 而这一点在绩效考核与评价中表现得尤为突出。

美国管理心理学家道格拉斯·麦克雷戈（McGregor，1957）表达了与德鲁克类似的观点。他认为，要求经理人员对下属的个人价值做出评论，这是对上帝的嘲弄，只有在预定的目标基础上进行评论，才能提高下属的积极性。③

美国明尼苏达大学教授斯蒂芬·卡罗尔和佛罗里达大学教授小亨利·托西（Carroll & Tosi，1973）认为，目标管理应与绩效评估制度（Performance Appraisal System，PAS）相结合，他们的实证研究结果显示，绩效水平与员工的满意报酬之间有

---

① Peter F. Drucker. “Knowledge-worker productivity：The biggest challenge.” California Management Review，1999，41（2）：79－94.

② Sven-Erik Sjostrand. The two faces of management：The Janus factor. London：International Thomson Business Press，1997.

③ Douglas M. McGregor. “An uneasy look at performance appraisal.” Harvard Business Review，1957，35（5/6）：89－94.

极高的正相关关系。[①] 美国南加州大学马歇尔商学院教授爱德华·劳勒（Lawler，1973）在其研究中得到结论：最有效的激励绩效制度就是与薪酬（compensation）有关的目标管理制度。[②]

美国加州大学洛杉矶分校教授海因茨·韦里克（Weihrich，1976）认为，就动态面而言，目标管理乃是要求主管、下属及同僚间必须互动的一个过程，包括领导、有效的激励、开放的沟通、决策和绩效评估。[③]

戴明认为，德鲁克的目标管理与他所倡导的全面质量管理在理念上是相抵触的，与他倡导的质量管理观念有很多冲突的地方，而德鲁克一直认为戴明的全面质量管理只适合制造业。在接受美国德克萨斯大学奥斯汀分校（University of Texas at Austin）汤姆·达文波特教授（Davenport，1997）专访时，德鲁克指出：“我对威廉·爱德华兹·戴明非常了解。我也未能说服爱德[④]这一点，即全面质量管理只适合制造业。它只在有生产的地方起作用，在其他地方则不起作用。每个管理学‘启蒙者’都坚信他的专卖药能包治百病。而管理实践界也很难去询问，‘这适合我们吗?’世上没有万能的灵药。对我的关节炎有疗效的药品用来治我的断脚根本毫无用处，即使病状在相

① Stephen J. Carroll & Henry L. Tosi, JR. “Improving management by objectives: A diagnostic change program.” California Management Review, 1973, 16 (1): 57－66.

② Edward E. Lawler, III. Motivation in work organizations. Monterey, California: Brooks/Cole, 1973.

③ Heinz Weihrich. “MBO: Appraisal with transactional analysis.” Personnel Journal, 1976, 55 (4): 173－175,

④ 爱德是威廉·爱德华兹·戴明的昵称。

同的位置也是如此。”①

应当看到，随着时代的进步，移动互联网时代的企业大量出现，知识工人在整个产业界员工中所占比重越来越高，绩效管理这个概念可能面临着改写的命运。按照现行教科书的说法，绩效管理是通过一系列的绩效管理行为持续提升个人和组织的绩效。但绩效管理这个概念对应的是工业时代对企业员工的管理。工业时代的最大特点就是企业外部环境相对稳定，对企业员工的绩效管理是在高度确定性和低度复杂性条件下进行的，绩效管理涉及对解决复杂性问题和创新的要求较少，而对流程质量、效率和效能的要求较高，对每个员工的价值产出与流程上的每一个节点进行连接并用一定指标进行量化反馈考核，对每个人的价值产出或绩效进行衡量完全可以实现。在移动互联网时代，由于企业外部环境的急剧变化，知识分化越来越加速，产品更新换代日趋加快，致使企业的业务流程无法适应变化。在这种情况下，只能通过充分发挥员工的积极性、创新性和主观能动性去面对日益复杂和不确定的环境。

但问题是，传统的绩效管理方法并不能对这种积极性、创新性、主观能动性和行为结果进行量化，这种积极性、创新性、主观能动性和行为结果与产出结果之间可能并没有必然的因果关系，对不同环境中不同人员的产出量化和对他们的绩效进行排序就出现了巨大的问题，使绩效的考核评价标准变得十分模糊。况且，为了鼓励知识分享和创新，不少组织鼓励员工组建自组织的知识创新型团队，将其视为自由职业者，实施自

---

① Tom Davenport. “Interview with Peter Drucker.” CIO Magazine, September 15, 1997.

主安排工作与业务、自我管理和自我激励。在这种情况下，自组织的团队可以持续进行高价值的输出，并能够持续提升自己输出的效率和质量。因此，在知识经济时代，对知识创新型团队的管理，传统的绩效管理方法已经失效。这就是最近几年取消强制分布和强制考核的大企业越来越多的根本原因。今天，包括微软（Microsoft）、Adobe、埃森哲公司（Accenture），甚至通用电气公司（GE），都取消了强制分布和强制考核。

德鲁克（Drucker，1988）指出，在知识员工为主的组织中，知识存在于基层，存在于知识员工的脑海里。这些知识员工在基层从事不同的工作，自主管理和自主决策，这意味着组织权力的分散化，必然要求从传统的高度集权的“命令——控制型”组织结构转变为以知识员工为中心的扁平型的信息化组织结构。① 我们认为，在知识经济时代，对知识员工的管理，强调的重点不再是行为绩效，而是管理知识，使知识员工可以利用知识再生产知识。

因此，组织应当把工作的重点放在如何设计好知识创造的场景上，让工作本身变得让人愉悦、有吸引力，实现“工作最好的报酬就是工作本身”，这才是激励员工和强化组织的战斗力的根本。在德鲁克（Drucker，1988）的眼里，未来的社会是知识社会，未来组织都将充满知识工作者。而知识工作者犹如游牧民族般地逐水草而居，热爱工作、热爱事业但不一定热爱组织，哪里有知识可以追逐、哪里可以享受成就感就往哪里走。未来的人是独立而有个性的。在知识经济时代，处理组织

① Peter F. Drucker. “The coming of new organizations”. Harvard Business Review, 1988, 66 (1/2): 45 -55.

与知识工作者的关系并非是要建立一个强有力的系统，把人套牢挤出知识，而是以人为主轴，让人来主导用知识创造知识的新的经营事业，形成一个人人愿意奉献知识的管理系统。唯有以人为主，让人顺利地连结知识管理系统，才能使组织有机会成功地迈向卓越。

第三章
彼得斯与德鲁克：效能与效率

第一节　彼得斯小传

汤姆·彼得斯（Tom Peters，1942 - ），美国著名管理学家、演说家、管理咨询顾问、后现代企业之父，在美国乃至整个西方世界被称为全球最著名的管理学大师之一，“商界教皇”，顶级商业布道师。《财富》杂志把汤姆·彼得斯评为“管理领袖中的领袖”，将他和拉尔夫·瓦尔多·爱默森（Ralph Waldo Emerson，1803 - 1882）[①]、亨利·戴维·梭罗（Henry David Thoreau，1817 - 1862）[②]和瓦尔特·惠特曼

① 拉尔夫·瓦尔多·爱默生（Ralph Waldo Emerson，1803 - 1882），美国散文作家、思想家、诗人，人们称其为“美国精神之父”。

② 亨利·戴维·梭罗（Henry David Thoreau，1817 - 1862），美国作家、哲学家，以《瓦尔登湖》而出名。

(Walt Whitman, 1818 - 1892)[①] 相提并论。经济学家称他为“超级领袖”;《商业周刊》根据他那些反传统的观点把他形容为“企业最好的朋友和最可怕的梦魇”。汤姆·彼得斯的著作颇丰，而且每一本著作都是具有世界影响力的畅销书。

汤姆·彼得斯，1942年11月7日出生于美国马里兰州大西洋沿岸重要海港城市巴尔的摩（Baltimore)。1961年，汤姆·彼得斯进入康奈尔大学（Cornell University）学习土木工程。后来，汤姆·彼得斯顺利从康奈尔大学本科毕业，取得了土木工程学士学位。大学毕业后，彼得斯进入美国海军服役，在服役期间，彼得斯曾在五角大楼工作过两年。

1970年，彼得斯结束了军旅生涯，退伍后来到斯坦福大学商学院（Stanford Graduate School of Business）学习工商管理，攻读MBA学位。在斯坦福大学商学院，彼得斯在完成第一年的基础课学习之后，商学院要求彼得斯在第二年选一个专业方向。这些专业方向包括制造业运作管理（operations management)、小企业管理与创新（small business management and entrepreneurship)、国际企业管理（international corporate management)、健康保健事业管理（heath care management）及公共与非盈利性组织的管理（public and nonprofit organization management）等。这样做的目的，是为了使学生对将来可能从事的行业有系统而深入的了解，掌握实际和理论的知识。彼得斯在攻读MBA学位第二年选择了“小企业管理与创新”专业研究方向。斯坦福大学商学院强调，开创新科技的新型企业的

---

① 瓦尔特·惠特曼（Walt Whitman, 1818 - 1892)，美国历史上最伟大的诗人之一，以诗集《草叶集》而出名。

“企业家精神”（entrepreneurship），培养的是“穿 T 恤衫”的新一代创新型小企业家。斯坦福大学的这种学术氛围和创新理念对彼得斯产生了重要影响，他后来在组织的发展与变革（organizational development and change）、创新与创业（creating and entrepreneurship）等方面的反传统的思想与此有直接关系。1972 年，彼得斯获得斯坦福大学的 MBA 学位。

在斯坦福大学学习期间，彼得斯对组织中人的行为，特别是人的创新性行为产生了浓厚的兴趣，这促使他做出在获得 MBA 学位后继续留在斯坦福大学攻读博士学位的决定。在斯坦福大学攻读博士学位期间，彼得斯还曾在联邦行政管理和预算局工作过一段时间。在著名的管理学者吉尼·韦伯（Gene Webb）和管理心理学家哈罗德·列维特（Harold J. Leavitt，1922 - 2007）的联合指导下，彼得斯顺利地完成了博士论文的写作与答辩。1974 年，彼得斯获得斯坦福大学组织行为学（organizational behavior）博士学位。

值得一提的是，在斯坦福大学学习期间，彼得斯有幸聆听到著名组织理论学家、卡内基学派（Carnegie School）著名代表性人物，1970 年加入斯坦福大学任管理学教授的詹姆斯·马奇（James G. March，1916 - ）的课程，詹姆斯·马奇的组织选择的垃圾桶理论（The garbage can theory）、学习事物时的热炉效应（hot stove rule）等许多创意十足的隐喻（Metaphor），加深了彼得斯对组织的“非理性”的认识，促使彼得斯认真阅读了卡尔·维克（Karl E. Weick）、赫伯特·亚历山大·西蒙（Herbert Alexander Simon，1916－2001）[①] 和詹姆斯·马奇等组织理论学家的著作，这对彼得斯学术思想的形成和研究基础的奠定产生了难以估量的影响。

1974年，从斯坦福大学毕业后，汤姆·彼得斯进入了美国久负盛名的咨询公司——麦肯锡咨询公司（McKinsey&Company），开始了自己作为管理咨询师的职业生涯。麦肯锡公司成立于1926年，是全世界最大的管理咨询公司之一，专门为企业高层管理服务，目前在全球38个国家共有74个分公司。彼得斯进入麦肯锡公司时，正值公司发展遇到强有力的挑战。当时，另一个很有竞争力的更年轻的咨询公司——波士顿咨询集团公司（Boston Consulting Group）开始在管理咨询领域展现出极强的实力，对麦肯锡公司形成了巨大的威胁。布鲁斯·亨德森（Bruce Henderson，1915－1992）[②] 领导的波士顿咨询公司发明的学习曲线或经验曲线（Learning Curve or Experience Curve）和波士顿矩阵（Boston Matrix），深受企业高层管理者的欢迎。很多企业经理把学习曲线或经验曲线当作衡量有效规模经济（the scale economy）的标准，视为确定公司生产成本的工具；

---

① 赫伯特·亚历山大·西蒙（Herbert Alexander Simon，1916 －2001）是美国管理学家和社会科学家，西方决策理论学派的创始人之一。西蒙在管理学、经济学、组织行为学、心理学、政治学、社会学、计算机科学等方面都有所造诣。西蒙对于决策过程的理论研究工作是开创性的，被授予1978年度诺贝尔经济学奖，西蒙也是管理学领域唯一获得诺贝尔经济学奖的人。

② 布鲁斯·亨德森（Bruce Henderson，1915－1992）波士顿咨询集团公司创始人，波士顿矩阵、经验学习曲线、三四规则理论的提出者。在布鲁斯·亨德森1992年7月20日去世后，《金融时报》对其思想遗产评价："在20世纪下半叶，很少有人能像这位波士顿咨询集团公司的创始人那样，对国际企业界产生如此深远的影响。"

把波士顿矩阵当作有助于明确而迅速地做出战略投资决策的指南，视为公司有效管理的圭臬。当时的波士顿咨询集团公司定位为企业的智力中心，立志于改变人们对竞争的看法，以其创建的公司战略理论举世闻名，从而给当时只一味扩张、一味凭经验前行的麦肯锡咨询公司以沉重的一击，使得麦肯锡咨询公司不得不重新审视自己，做出战略调整。为了应付波士顿咨询公司的挑战和威胁，麦肯锡公司设想了一个针锋相对的方案——“卓越公司”计划。彼得斯在这个计划中崭露头角。

1977 年，汤姆·彼得斯、小罗伯特·沃特曼（Robert Waterman）加入“卓越公司”的研究团队，主要任务是找出让企业更加出色的经营管理特点。于是，一场轰轰烈烈的“追求卓越”的管理探索开始了。不久，安东尼·阿索斯（Anthony Athos）、理查德·帕斯卡尔（Richard Pascale）也加入了这个团队，他们的主要任务是找出让企业更加出色的经营管理特点。在这一研究中，他们提出了有名的“管理的 7S 架构”。所谓的“管理的 7S 架构”，是从 7 个方面对企业管理进行分析，具体包括：硬性的管理（Hard management）或管理的理性面（The rational side of management）三个方面：结构（structure）、战略（strategy）、体制（systems），这是美国企业本身具有的优势；软性的管理（Soft management）或管理的艺术面（The art side of management）四个方面：管理风格（style）、技巧（skills）、员工（staff）及共享的价值观（shared values），这是日本企业管理具有的优势。日本的企业正是学习了美国企业的管理优势，又发展了软性的管理或管理的艺术面，才使得日本式管理能够傲视西方企业。美国企业如果能够具备软性的管理或管理的艺术面四个方面，并将硬性的管理或管理的理性面这个美国企业本身的优势充分发挥出来，美国企业一定会超越日本企业。“管理的7S架构”给美国企业提供了一种用硬性的和软性的管理手段、标准来分析公司本身的文化和经营行为的合理的、综合性的指导方法。从1979年到1980年，“管理的7S架构”提出后立即受到企业界的广泛关注。后来的卓越企业系列研究，就是在“管理的7S架构”框架下进行的。1981年，汤姆·彼得斯离开了麦肯锡。1982年，彼得斯和沃特曼合著的《追求卓越》出版。这本书奠定了彼得斯的事业根基，很快成为全美商业畅销书之一，仅在美国就销售了600万册，所谓“美国工商管理圣经”（American Business Bible）说的就是它。

彼得斯和沃特曼合写《追求卓越》的目的，是在所有同行企业中保持麦肯锡咨询公司在智力上的卓越地位，在这一点上他们可以说是取得了充分成功，尽管学术上和其他方面的一些批评认为，批倒或废除这本书不费吹灰之力。事实上，彼得斯和沃特曼采用的、基于对实际公司进行研究而得出结论的那些技术，过去是、现在仍然是从学术上研究管理理念的关键技术。“卓越公司”研究所选择了国际商用机器公司（IBM）、强森公司（Johnson&Johnson）、埃克森石油公司（Exxon）、宝洁公司（Procter&Gamble）、沃尔玛公司（Wal-mart）及通用电器公司（GE）等43个公司典范，其标准是净资产增长率、股票市值增长率、市值与账面价值的比率、投资效益率、股票收益率、销售盈利率六个方面。入选的企业以《财富》杂志（Fortune）所列的美国企业500强中的企业为准，最后选择出制造、信息、服务、销售、交通和食品等行业的43家企业进行调研。

“卓越公司”计划经过将近4年的调查研究，彼得斯他们总结出卓越企业的八大特质，即崇尚行动、贴近顾客、自主创新、以人为本、价值驱动、坚守本业、精兵简政、宽严并济。1980 年 7 月，他们的研究报告首次发表于美国《商业周刊》（Business Week）上，封面上的标题“把卓越带入管理，八项基本功夫”点明了报告的主题。随后，他们的思想在美国公司的高管中迅速传播。

事实上，《追求卓越》一书的出版，反映了汤姆·彼得斯精明的商业化运作的头脑。1981 年，彼得斯选择离开麦肯锡公司，原因是彼得斯觉得公司限制了个人发展而另谋事业。按照麦肯锡咨询公司的合同规定，合伙人在管理咨询方面的任何一笔收入都不属于咨询师个人，而是属于公司。但在《追求卓越》一书出版时，他已经离开了麦肯锡公司，却运用公司的研究资料和前期研究成果出版了该著作，凭着《追求卓越》一书的畅销而完全合法地获得了巨额版税收入。这足以说明，彼得斯是不是管理大师另当别论，起码他是一个成功的商人。专门为他写传记的英国传记作家罗伯特·海勒（Robert Heller）对此评价：“这笔版税，以及由这本书的巨大成功所带来的声誉，使他成为一名独立、富有、成功的专职作家、咨询专家（他由此拥有了自己的企业——汤姆·彼得斯集团）。更重要的是，这使他成了一位具有强烈管理理念的改革者。”① 从 1981 年离开麦肯锡咨询公司起，彼得斯在位于旧金山南湾、临近硅谷的帕拉阿图市（Palo Alto）创立了自己的培训公司——汤姆·彼得斯集团（Tom Peters Group），他和艺术家兼企业经营管理者的妻子凯特·阿贝（Kate Abbe）要么住在位

① ［英］罗伯特·海勒（RobertHeller）：《汤姆·彼得斯》，北京：中国社会科学出版社，2002 年。

于佛蒙特州（Vermont）面积为1600英亩的私人农场，要么待在帕拉阿图的公司总部。凯特·阿贝不仅在生活上，还在事业上给予了彼得斯有力的帮助，为此，彼得斯称妻子为“配偶、诗人、出版商和好伙伴”。汤姆·彼得斯集团则成为他传播自己创新思想的基地，为各级的管理者提供了相当广泛的培训课程，而且这些课程总能吸引公司高层管理者的眼球。比如，“如何在企业中完成非同寻常的工作”“把全公司的行动与价值紧密相连”“提供杰出的服务使顾客发出‘哇’的赞叹声”等。从汤姆·彼得斯集团的培训公司起步，彼得斯把咨询触角伸向全世界的企业，在不同国家进行富有激情的演讲，传播自己的管理理念。1984年，彼得斯创立了一种新型的培训模式，他将其命名为“讨厌鬼营地”（Skunk Camp）。这个来自“臭鼬”（Skunk）的名称，试图形成一种与常见公司主体结构大相径庭的革新型训练营——创新小组（innovation circle），以增强普通人变成成功者的创造力、创新与变革（creativity, innovation, and change）为宗旨进行培训，在企业界产生了强烈的反响。彼得斯为他的“臭鼬”们发出了这样的邀请：“40个勇敢的精灵，他们以自行其是的方式带着本人研究的、关注如何由普通人变成成功者的经验，有关如何与传统作战、如何变得伤痕累累的有待交流的故事，相聚于加利福尼亚州。”

1984年，彼得斯出版《追求卓越的热情》（A Passion For Excellence），此书的关注重点在于专业性的个人领导的魅力。

1988年，彼得斯出版《混沌中的生机》（Thriving on Chaos），书中包含不少于45条让经理们遵循的主要规则。它为彼得斯未来的职业生涯规划了蓝图，也为彼得斯日后打算鼓励美国公司变革的事业奠定了基础。这本书的出版也标志着彼得斯与主流管理学的决裂。

1992年，彼得斯出版《解放型管理》（Liberation Management），书中彼得斯鼓励、要求公司放弃等级阶层，接受灵活的、自由流动的组织结构，以此形成庞大而高效率的公司网络结构。这本书的出版是彼得斯向主流管理学挑战的宣言书，是管理学100年来争议最大的一本书，最终的结果形成了管理学界族群分裂。

1994年，彼得斯出版《“哇!”的追求》（The Pursuit of Wow!），他将此书称为“当今乱世中每个人的指南针”。

1997年，彼得斯出版《创新圈》（The Circle of Innovation：You can’t shrink Your Way to Greatness）。

2003年，彼得斯出版《重新想象》（Re-imagine! Business Excellence in a DisruptveAge）。彼得斯有两个著名的招牌菜：“激情”和“创新”。从赞扬的角度说，“激情”是指他对管理研究具有持久且高涨的热忱；“创新”是指他总能提出独到的见解和观点。彼得斯在他的著作和讲演中犹如魔术师一般，不断甩出新概念，令世人眼花缭乱、目不暇接，甚至目瞪口呆。

对以往的管理理论，彼得斯总是持有批判的眼光。他批判以弗雷德里克·温斯洛·泰罗（Frederick Winslow Taylor，1856－1915）为代表的科学管理理论（Scientific Management）和以马克斯·韦伯（Max Weber，1864－1920）为代表的科层制组织理论（Hierarchical Organization），认为仅仅依靠权责一致、任务合作和岗位责任等“原理”就能管好企业的想法，是极其粗浅和幼稚的幻想。他批判以乔治·埃尔顿·梅奥（George Elton Mayo，1880－1949）为代表的人际关系理论（Interpersonal Relationship），认为梅奥走向了另一个极端，陷人经济人与社会人矛盾的困境。他批判“见物不见人”的传统管理思想，批判“大批量生产，大规模营销”的传统企业经营战略，批判“规模经济效益”理论、“专业化分工”“矩阵组织”，尤其是批判学术界试图把管理上升为“科学”和“理论”的倾向。随着这些批判，他提出了一个又一个新鲜招数，人们全然不知道这位管理魔术师下一步会变出什么。

彼得斯在听众面前，几乎是狂热的。人们甚至会怀疑，这种狂热会不会耗尽他的精力而让他走向崩溃。彼得斯具有杰出的演讲口才和表演能力，有人曾经形容：“他有着运动员的身体，影视明星的眼睛，政治家的口才，所有这些都使他春风得意、左右逢源。”

事实上，这位管理大师每次出书几乎都会在欧美工商业界引发一场强烈的“地震”。他的文笔犀利，常常语惊四座，总是有一种“语不惊人死不休”的气势。30 多年来，他的书不断被全球诸多大学作为 MBA 必读教材。《财富》杂志声称“我们生活在一个汤姆·彼得斯的时代”。彼得斯并没有深厚的理论积淀，但他代表了一种管理时尚（management fashion），彼得斯无疑是一位敏锐、时尚、高明的热炒现卖的特级厨师。在彼得斯这里，人们可以读出管理学的奔放。哪怕是批评彼得斯的人，也不能否认他在现实世界的巨大影响力。就连彼得斯自己也坦然承认，自己不是深刻的管理思想家。他说：“我没有自己的理论，对此我一点也不觉得尴尬和惭愧。相反，我感到自豪的正是我写的三部畅销书中没有任何一条主张是我发明的理论。我只是一个观察家，我只会观察人们实际上是怎样管理企业的。我死后，希望在我的墓碑上刻有这样的字句：‘这里躺着的人没有任何自己的理论，他只是一个优秀的观察者’。”

第二节　彼得斯学术思想形成的心路历程

严格地说，如果要对汤姆·彼得斯进行准确的学术定位，汤姆·彼得斯属于组织理论学家。汤姆·彼得斯是在对现代企业管理史学家、美国哈佛大学商学院教授小阿尔弗雷德·钱德勒的学术思想进行批判的基础上建立起自己的管理理论的。

钱德勒（Chandler，1962）在其所著的《战略与结构：美国工业企业的历史篇章》一书中，对美国第二次产业革命诞生的100家大公司进行了考察，在追踪了这些组织长达50年的发展历程并广泛收集历史案例资料后，他得出结论是：公司战略的变化先行于组织结构，并且导致了组织结构的变化。简单的战略只要求一种简单、松散的结构形式来执行这一战略。这时，决策可以集中在一个高层管理人员手中，组织的复杂性和正规化程度都很低。当组织成长以后，它们的战略变得更有雄心，也更加复杂了。比如，追求探索战略的组织必须以创新求生存，因此，有机式的组织能更好地适应这一战略，因为它很灵活，能保持最大的适应性。相反，防御者战略是寻求稳定性和效率性，这需要一种机械式的组织才能更好地适应。

钱德勒把战略定义为“关于公司的长期目标和目的，以及为实现目标和目的所必须采取的行动方针和资源配置的决定”。钱德勒强调了战略选择对西尔斯（Sears）、罗巴克公司（Roebuck）、通用汽车公司（General Motor）这样的商业公司的重要性，因为这些公司无法充分利用它们在其环境中察觉到的市场。为了应付这一难题，小阿尔弗雷德·斯隆（Alfred Sloan）领导的通用汽车公司采用了一种多职能事业部的组织结构（Multidivisional Structure，即 M 型结构），各事业部按照特定市场下的特定业务来划分。于是，在通用汽车公司内部划分出独立运作的雪佛莱（Chevrolet）、庞蒂亚克（Pontiac）和凯迪拉克（Cadillac）等事业部制公司，这些事业部制公司分别拥有各自的客户群和产品价格范围，这些事业部制公司的成立应当看成是战略选择的结果。钱德勒认为，战略是先于组织机构出现，公司应首先建立一套战略，然后摸索创建适应战略的结构，最终化为现实。[①] 在 20 世纪 60 年代初期，这个理论作为一种生活中的现实迅速被人们接受。可以说，没有一个人曾在他之前以这种方式来考虑战略问题，钱德勒的研究开创了战略管理领域的战略—结构—绩效范式（Strategy-structure-performance Paradigm，简称 SSP 范式）。

钱德勒首次分析了环境—战略—组织结构之间的相互关

---

① Alfred D. Chandler, Jr.. Strategy and structure: Chapters in the history of the American industrial enterprise. Cambridge, Massachusetts: MIT Press, 1962.

系。他（Chandler，1965）认为，为了使战略取得成功，必须具有符合战略要求的经营管理方式。他认为，企业经营战略应当适应环境——满足市场需要，而组织结构又必须适应企业战略，因战略变化而变化，即“结构追随战略”。他的名言是“管理方式必须服从组织战略”“战略决定组织结构”。钱德勒认为，战略虽然无误，但因经营管理方式与战略不相适应，因而招致失败的企业还是很多的。如果最高管理层对组织的战略做出重大调整，那么就必须修改组织结构，以此来适应和支持战略的变革。钱德勒以实例说明了在一些组织内，如通用汽车公司、杜邦公司（Du Pont）、标准石油公司（Standard Oil）及西尔斯公司等大型公司是如何建立起一种多部门结构的，即 M 型结构。[①] 钱德勒（Chandler，1962）强调，M 型结构的大型组织的基层公司或经营单位非常灵活，并提供明确的以客户为中心的服务，同时通过部门与总公司之间联系，相互协调，推动整个集团或公司向实现其战略目标迈进。[②]

对钱德勒关于企业战略与组织结构之间相互关系的理论，汤姆·彼得斯抱有强烈的质疑。他说：“大家都心知肚明，大型企业要维持重要的地位及反应力，光靠政策声明、新战略、计划、预算和组织结构图是不够的。可是我们采取的行动又好像不知道这点一般。需要改革的时候，我们就动动战略，要不就是调整组织结构。现在应该是改变做法的时候了。”

1977 年年初，出于对组织效能（organizational effective-

---

① Alfred D. Chandler, Jr. Corporate strategy and organization framework. New York: Harper Press, 1965.

② Alfred D. Chandler, Jr.. Strategy and structure: Chapters in the history of the American industrial enterprise. Cambridge, Massachusetts: MIT Press, 1962.

ness）问题的疑虑，特别是对战略、组织结构及组织的管理效能之间关系本质的疑虑，麦肯锡咨询公司开始进行了两组研究：一组探讨公司战略，另一组探讨组织效能。这是麦肯锡的应用研究项目，汤姆·彼得斯是研究组织效能项目那组的主持人。

汤姆·彼得斯后来回忆到："1977 年，当我们开始研究工作时，钱德勒的理论是普世认同的真理。这就是现代企业经营史学家小阿尔弗雷德·钱德勒（Chandler，1962）在其著作《战略与结构》（Strategy and Structure）中提出"结构追随战略"这个强有力的概念。先在纸上拟定战略计划，正确的组织结构就可以轻易地跃然纸上。钱德勒的理念很重要，这是毋庸置疑的。不过当钱德勒在构思这个理论时，多元化（diversification）正大行其道。基于钱德勒的理论，广泛的多元化战略（diversification strategy）决定分权结构——形式追随功能。在第二次世界大战到 1970 年左右这段时间，钱德勒的建议足以促使（或是维系）管理做法朝正确的方向进行改革。"汤姆·彼得斯（Peters，1992）以他特有的直率说道："我想他是完全错了，因为企业的组织结构左右了它日后对目标市场所采取的措施。[①] 其他的管理学家认为，整个战略过程比钱德勒设想的要混乱得多。在一个完美的世界中，公司可以孕育出完美的战略，然后创造出有条理的结构和组织蓝图。然而，现实是战略和结构极端混合在一起的无序状态。

在《边缘管理》（Management on Edge）一书中，理查德·

---

① Tom J. Peters. Liberation management：Necessary disorganization for the nanosecond nineties. New York：Alfred P. Knopf，1992.

帕斯卡尔（Pascale，1990）写道："最根本的设想是，组织的活动是理性的和持续的。但对于大多数的管理者，他们大都会乐意接受与此截然相反的看法。他们认为，公司被组织起来的方式，无论是注重功能性还是由独立部门所驱使，通常对战略的确定起到了重要作用。实际上，这解释了企业倾向于做那些他们最清楚如何做的事情——而全然不顾竞争实践中会对自己的成功造成什么负面影响。"①

汤姆·彼得斯所在的研究小组第一步是对世界各地企业的高层主管进行深度访谈，这些企业界的领导人物以组织设计的技术、经验和智慧闻名于世。汤姆·彼得斯发现，这些企业的高层主管对传统的方式也深感不安。他们担心一般结构性的解决方案，特别是当时剑走偏锋、复杂的矩阵形态有其限制，但是对于现有工具的效果却又感到怀疑；他们质疑，规模达几十亿美元的企业巨擘是否真能靠这些工具实现振兴、重新找到方向。

汤姆·彼得斯的研究小组针对这个主题探索后发现，战略似乎很少会支配独特的结构性解决方案。此外，战略中的关键问题大多跟执行和持续调整有关，也就是如何实施战略及保持弹性。一般而言，组织效能的范畴都不只是组织议题（结构、人员等）的战略而已。所以，有关组织效能的问题好像一直都无法获得解决，而且传统思维缺乏实际的佐证，这个问题在1980年越发明显。当时，美国经理人深为企业成长迟滞的问题所苦，于是不顾文化差异，纷纷采用日本式管理方式。在得不到明确答案的情况下，汤姆·彼得斯开始转向企业界之外的

① Richard T. Pascale. Managing on the edge. London: Viking, 1990.

学术界寻求帮助。在1977年开始拜访美国和欧洲十几家商学院（当时日本没有商学院）。汤姆·彼得斯发现学术界的理论家也有相同的困扰。

非常幸运的是，汤姆·彼得斯的研究选择的时机很好。当时的战略管理与组织理论虽然依旧混沌，但学术界已经开始朝着新的共识前进：即研究人员几乎不再围绕着组织结构来思考组织效能的问题，特别是不相信单纯地依靠当时最新的矩阵理论（matrix organization）可以提高组织效能的说法。当时最热门思潮的中心思想是：决策者处理信息及做出所谓“理性”决定的能力有限，厂商组织更不可能自动执行理性主义者的复杂战略性设计。汤姆·彼得斯发现，这种最热门的思潮始于20世纪30年代的美国心理学家埃尔顿·梅奥（George Elton Mayo）和美国企业家、管理学家切斯特·巴纳德（Chester I. Barnard，1886－1961），两位学者以各种方式挑战德国社会学家马克斯·韦伯科层制理论和弗雷德里克·泰罗的科学管理理论。梅奥的人际关系学说认为，对生产力影响最大的，是组织中的员工，而非工作环境本身。而汤姆·彼得斯认为，卓越企业中的许多管理都只是为了创造永无止境的“霍桑效应”（Hawthorne Effect）①。巴纳德从企业高层主管的视角，主张领导者的角色在于协调组织内的社会力量，塑造及指引价值观。巴纳德把优秀的管理者形容为组织内非正式社会特性的塑造者，而不仅是正式奖励和系统的操纵者，单单着眼于狭隘的短

① 所谓“霍桑效应”（Hawthorne Effect），是指那些意识到自己正在被别人观察的个人具有改变自己行为的倾向。比如，让员工将自己心中的不满发泄出来，由于受到额外的关注而引起绩效或努力上升。

期效率而已。

汤姆·彼得斯认为，由巴纳德创立的社会协作系统学派（School of social cooperation system）认为，社会的各级组织都是一个协作的系统，应当把企业组织中人们的相互关系看成是一种协作系统。卡内基学派的学者赫伯特·西蒙（Herbert Alexander Simon）和詹姆斯·马奇（James March），康奈尔大学的学者卡尔·维克（Karl Weick）等人继承了社会协作系统学派的遗产，他们将管理者视为社会行动者，而非理性行动者，在理论层面不遗余力地抨击当时占统治地位的科学管理学派的理性模式（the rational model），才引发了一波新管理思潮。

汤姆·彼得斯研究小组接触的经理人都任职于一些长期绩效杰出的企业，比如，IBM、3M、宝洁（Procter & Gamble，简称 P&G）、达美航空公司（Delta Air Lines，Inc.）等企业。在与这些经理人探讨新的管理理论时，汤姆·彼得斯发现，这些经理人所描述的无形要素（invisible factors），其实比较符合卡尔·维克和詹姆斯·马奇的论点，而不是泰罗或是钱德勒的论点。他们谈的是组织文化、家的感觉、小而美、单纯而非复杂，大力宣扬产品质量。汤姆·彼得斯得到的结论是：一些看似虚无缥缈的东西，如经理人的价值观和企业文化等，在企业的经营管理中将起到化腐朽为神奇的作用。因此，经理人个人的价值观非常重要。经理人的理念精华是建立能考虑到个人极限（譬如处理信息的能力）及长处（譬如从承诺到热情投入的力量）的组织。

汤姆·彼得斯和小罗伯特·沃特曼希望有一个充满活力的组织结构来实施客户服务：“客户如何评价自己与公司的关系，决定了你是否拥有一个终生客户。这个道理再清楚不过了，但总是被人忽略。”

汤姆·彼得斯所看到的新企业组织结构的关键是与顾客、供应商、任何能帮助企业进行商业活动的人结成的网络。

汤姆·彼得斯决定探索卓越的管理本身。汤姆·彼得斯在展开项目之初就决定这样做，不过后来壳牌集团常务董事请汤姆·彼得斯帮他们举办一场为期一天的创新座谈会时，彼得斯才获得真正的推动力。为了配合壳牌的要求，彼得斯给“创新”这个名词赋予了双重意义。除了一般人常想到的思路，创意人员开发可以营销的新产品和服务之外，彼得斯还针对大型组织变革为其增加新的意义。

汤姆·彼得斯主张，有创意的企业不仅是特别擅长制造可批量生产或提供的新产品或是服务，还能更加灵敏地持续应对任何环境变化。

这种创新理念似乎为真正卓越的管理者或管理团队的任务下了定义。拥有这种创新表现的企业就是“卓越企业”。

卓越企业、创新企业具有八大特质：

（1）采取行动。这些企业在决策过程中或许会进行分析，但并不会因此阻碍行动（许多企业在发现真相后就再也没有后续行动）。这类卓越企业的标准运营程序大多是“执行、修改、再尝试”。卓越企业采取各种务实的方式，以维系企业的敏捷度及克服规模扩大后可能导致的僵化。

（2）接近顾客。这些企业会向顾客学习，提供的质量、服务和可靠性（有效而且可以持久的事物）都是一般企业难以抗衡的。他们成功地进行市场细分，在这样的企业，每个人都会积极投入行动。许多创新企业最棒的产品思路都来自顾客，因为他们会不断仔细倾听顾客的意见。

（3）自主和创业精神。

创新企业在公司各处培养出许多领导人物和创新人才，这种环境是培养顶尖人才的沃土。里面有许多热情的发明家和大胆的创业家，正在充分发挥想象力。他们不限制每个人的创造力，而是鼓励务实的冒险，支持好的尝试，并且奉行弗莱切·拜伦所说的第九条戒律："务必要有足够的错误次数"。

（4）以人为本。

卓越企业把一般人员视为质量和生产力的源泉。他们不鼓励等级意识，或是把资本投资视为改善效率的根本。就像IBM前任董事长小托马斯·沃森（Thomas J. Watson，Jr.）所说的："IBM的哲学有三个简单的理念。我从最重要的讲起：尊重个人。这是一个简单的概念，不过IBM管理层却花很多时间实践这个原则。"

（5）亲身实践、价值驱动。

沃森表示："企业的基本哲学对其成就的影响力，远远超过技术或是经济资源、组织结构、创新和时机。"沃森和惠普的威廉·休利特都是走动式管理（MBW）的传奇人物。麦当劳创始人雷·克罗克更是经常视察各家分店，并评估这些分店有没有奉行公司坚持的价值观"品质、服务、清洁与价值"。

（6）坚持本业。

强生前任董事长罗伯特·约翰逊表示："绝对不要收购你不知道如何经营的企业。"宝洁前CEO爱德华·哈尼斯表示："这家公司从来没有偏离基础。我们不愿成为一家大型集团。"除了少数例外，坚持本业的企业通常能缔造出卓越的业绩。

（7）组织单纯，人事精简。

汤姆·彼得斯研究过的大多数企业虽然规模庞大，但都不是采取矩阵式的组织结构，就算曾经试过这种结构，也都已放弃。这些卓越企业的基本结构形态和系统都非常简单，高层人事极为精简。规模好几十亿美元的企业里，负责经营的高层主管人数通常都不到百人。

（8）宽严并济。

卓越企业兼具集权和分权的特色。如前所说，他们让自治精神深入工厂或产品开发小组，另一方面，对于核心价值观却又坚持采取中央集权。3M 在产品开发领域表现卓越，但其组织却是一片混沌。不过有一个麦肯锡分析师认为，“他们好比被洗脑的政治狂热分子，绝不妥协自己坚持的核心理念。”在德州仪器公司（DEC），组织混乱的局面也极为普遍，有位主管甚至说：“这儿没有几个人知道他们是在为谁工作。”尽管如此，DEC 对于产品质量的坚持远远超过外人的想象。

这八大特质并不新奇，大部分甚至是经营企业的基本常识。但是如同麦克弗森所说的：“每个人都认同‘人是我们最重要的资产’，可是真正做到的人却少之又少。”卓越企业实践尊重人才的承诺，并以行动为导向——行动远比组织无数的委员会和高达 500 页的研究报告重要。他们对于服务和质量的执着，在其他精打细算、运用最佳技术的业者看来，是不切实际的梦想。卓越企业重视的是全体员工自动自发采取行动（确实的自治），而非只靠两百位高薪者主动贡献而已。

汤姆·彼得斯强调，并非每个卓越企业都具备这八大特质，或是这些特质全部都如此耀眼，不过它们至少具有其中一项特质。彼得斯相信，今天很多美国大型企业都缺乏这八大特质，纵然有，也被其他种种迹象蒙蔽，让你根本注意不到。大多数经理已不注意经营的基本法则——快速行动、对顾客提供完美服务、务实的创新，以及全员投入。

1982年，彼得斯对卓越企业的研究，以彼得斯和沃特曼合著的方式，命名为《追求卓越》出版。这本书的出版，为彼得斯带来了世界性的声誉，使他跻身管理大师的行列。彼得斯在《追求卓越》中信奉的是“顾客是上帝”，主张“回归基础”（back of basics）的革命：让管理者回到“实践常识”——贴近客户、走动式管理①，也得到了学院派管理学家的推崇。

1992年，彼得斯出版了《解放型管理》（Liberation Management）②，正式宣布管理学主流学派的决裂。这本篇幅巨大、散漫而又充满激情的佚事集，是汤姆·彼得斯对于20世纪90年代管理思想的一篇涉及广泛的纲要，同时也是管理学百年来争议最大的一本书。

《解放型管理》最初的手稿有1900页之多，通过删减掉1/3，才使本书缩减到合适的篇幅。美国组织理论学家卡尔·维克（Karl Weick）认为本书是用一种“超文本”（hypercontext）写成的。语言极富色彩，“中层经理，就像我们所知道的那样，是一群被煮熟了的鸭子”。“每一种对于产品和服务的描述都是上吊行为，他们会变得软、很软、非常软，变得易变、短命、时尚化。”在彼得斯所著的六本书中，《解放型管理》同时获得了最好和最坏的评价。

《解放型管理》被标识为汤姆·彼得斯职业生涯中的一个重要里程碑，也是他的关于组织理论的最重要著作。本书起源

① Tom J. Peters & Robert H. Waterman, Jr. In search of excellence: Lessons from America's best run companies. New York: Harper & Row, 1982, Ch. 2 ~ Ch. 3.

② Tom J. Peters. Liberation management: Necessary disorganization for the nanosecond nineties. New York: Alfred P. Knopf, 1992.

于他在一个时期内集中阅读了小阿尔弗雷德·钱德勒（Alfred D. Chandler，Jr. 1918－2007）和哈佛大学商学院教授罗伯特·海耶斯（Robert H. Hayes）的著作，并且这是他自《追求卓越》后的第一本深入检验单个企业的著作。

《解放型管理》这本书就像是汤姆·彼得斯自我性格的描述，颠覆反叛、勇于失败、推崇混乱。完全是以革命性、石破天惊、语不惊人誓不休的面目出现的。在书中，彼得斯一改以往对大型企业结构赞赏有加的立场，也一改终日呼吁要接近客户，以客户需求为导向的态度，一反传统而富于原创地喊出"疯狂的时代呼唤疯狂的组织"（crazy times call for crazy organizations）。彼得斯花费二十余年时间，专心研究由一群疯子和梦想家驱动的硅谷活力，从他们身上总结出 21 世纪企业经营的玄门奥秘：自由的代价是高绩效；中层经理人是组织精简的首要目标；裁员有科学化公式可以遵循；外包工作是家常便饭；彻底解放员工，员工要有频繁跳槽的本事；"旧的巨大"企业因肥胖致死，"新的巨大"网络联盟应时而生。

与彼得斯的早期作品《追求卓越》《追求卓越的激情》《混沌中的生机》相比，《解放型管理》的核心信息反映出，彼得斯的强调重心已经发生了巨大转变，在《追求卓越》出版的整整 10 年后，彼得斯承认，自己以前的作品对长期存在着的组织架构问题关注得实在是太少了。

彼得斯想要的并不是建立在传统阶层制和职能化概念上的组织架构。彼得斯（Peters，1982）认为，我们正处在"一个自相矛盾的时代”（the age of paradox）①，实际上，他的新组织架构范例都是以没有明显结构而著称。这是彼得斯的基本观点。像CNN、ABB这样的企业，通过高度灵活的架构，随时调整，适应了商业需求。自由流动、不受限制、无规则的、简单但复杂，这些都是未来看似自相矛盾的架构。

也只有如此充满活力的结构才能使公司得以实施彼得斯推崇备至的客户服务，并且也只有具备了这样的动态组织架构，公司才能生存下去。彼得斯没有忘记客户服务：“客户如何评价自己与公司的关系，决定了你是否拥有一个终生客户。这个道理再清楚不过了，但总是被人忽略。”彼得斯等人（Peters & Waterman，1982）曾尖锐地指出：“我们由于迷恋于管理工具，而蔽于管理是艺术面。我们的工具偏向于计量和分析，我们有办法衡量成本，可是单靠这些工具，我们无法精确地计算出某一个公司士气高昂的员工所代表的价值，也不能算出某公司推销员为一个普通客户多跑一英里路所代表的价值。”②

彼得斯所看到的新的企业架构的关键是与顾客、供应商、任何能帮助企业商业活动的人结成的网络。他认为，组织规模的概念正在发生变化。彼得斯（Peters，1988）认为，“旧的关于规模的概念必须废弃。‘新的巨大’可以是确实非常巨大，也可以是‘网络巨大’。以市场力量作为衡量规模的标准，指的是企业的外延家族，即处于流动和半永久状态的伙伴们所具

① Tom J. Peters & Robert H. Waterman, Jr. In Search of Excellence: Lessons from America's Best Run Companies. New York: Harper & Row, 1982.

② Tom J. Peters & Robert H. Waterman, Jr. In Search of Excellence: Lessons from America's Best Run Companies. New York: Harper & Row, 1982, 201.

有的能力，而不是指自己直接拥有和直接控制的事物。”① “无论这个外延部分是流动的，还是处于半永久状态，都是如此。”

在这部书中，彼得斯反复强调的就是“时尚”（fashion）——“我们如今都身处在米兰高级时装和好莱坞电影业之中，”彼得斯写道：“这本书的全部活力都来自一个词，那就是时尚。计算机和微处理器的生命周期已经从年压缩到月。”具有新的模式的组织快速发展，并保持下去，努力在市场上搜寻着能够显示自己独特之处的新领域。

在《解放型管理》一书中，彼得斯阐述了后现代企业及管理的一些特点：

推崇混乱、学习乐于冒险；

四大短命——短命组织、短命组合、短命产品、短命市场；

不要时钟，不要办公室，只要绩效；

解放员工，鼓励释放创业活力；

组织解体，走向人人做项目之路；

摒弃垂直整合，走向网络联盟。

彼得斯十分推崇麦肯锡的管理模式。他说：“麦肯锡任何一个地方都像一个动物园。事实上，我花了10年时间才认识到这家组织奇怪的知识商团。以传统标准来评判，这里管理十分‘差劲’。比如，没有工作说明书、没有组织图、没有年度目标，业绩评估制度也深奥难懂。但在今天由知识创造附加值

① Tom J. Peters. Thriving on Chaos: Handbook for Management Revolutions. New York: Alfred P. Knopf, 1988.

的时代，它几乎成为每家公司的楷模。”①

很明显，这要求管理者拥有与以往完全不同的管理技巧。实际上，彼得斯说道他所描述的新组织形式是令人难以想象的，对于管理者来说是不折不扣的痛苦。现在，这种新的技术为人所熟知。彼得斯（Peters，1988）在分析现有组织存在问题的基础上指出，现有“牛顿型组织”（newton organization）必将被“混沌组织”（chaos organization）取代，未来的管理将从控制走向混沌。② 他认为，我们彻底告别了命令和控制的时代，迎来了一个以“好奇、创造力和发挥想象力的新时代”，新的组织需要新的技能。③ 因此不要试图进行指挥——控制的管理过程，而应去支持资源的分配、知识的再配置和适宜文化的设计，让管理学在真实的经历和过程中进行发现和描绘。他认为，这一步对于大多数企业来讲是未知的，但也是回归到最基本原则的一步。“在过去 100 年间，人们总是设想专业技术只存在一个地方，和那些所谓‘专业’人才待在一个部门、团队、小组和企业中。而工作的具体完成则是在另外一个截然不同的地方。新的组织是将这些技术回归到它们本应该待的地方——与实际运作紧密靠近——就像在工匠时代，以及工业大革命前的时代……我们并不是忽略专业技术，我们只是简单地调整它的方位，扩展研究领域，赋予它新的关系——并是认识

① 汤姆·彼得斯．解放型管理．鲁乐中译，北京：中信出版社，2006 年，第 153 页。

② Quoted in Pascarella Perry. “Management: Tom J. Peters invites chaos for survival”. Industry Week, 1987, 235 (2): 48 ~ 53.

③ Tom J. Peters. Liberation management: Necessary disorganization for the nanosecond nineties. New York: Alfred P. Knopf, 1992.

到在一个快速发展、时尚的世界中，每一个人都必须成为专家。”

彼得斯在《解放型管理》中宣称“世界发狂了”，他认为后现代企业组织不应设计得像由硬石头垒成的金字塔，而应该像一个嘉年华式的聚会场所。“在这个疯狂的世界里，需要的是疯狂的组织和员工，更需要瞬息万变的组织和产品来满足瞬息万变的市场，组织应该被视为狂欢的场所。”“当今经济舞台的旋律已不再是华尔兹，而是伴着街头急促脚步的霹雳舞曲。……如果你不觉得疯狂，你就是没有跟上时代的步伐。”①

可以说，彼得斯想要表达的是，管理学新范式是一个不确定性时代的范式。这个时代，德鲁克（Drucker，1969）认为是一个知识经济时代，一个“非连续性时代”（the age of discontinuity）②；彼得斯（Peters，1982）认为是“一个自相矛盾的时代”（the age of paradox）③；美国管理学家詹姆斯·摩尔（Moore，1996）认为，这是一个“组织商业生态系统的时代”（the age of business ecosystems）④；英国管理学家查尔斯·汉迪（Handy，1989）认为，这是一个“非理性时代”（the age of unreason），其两大特征概括为“非理性”（unreason）和“不确定性”（uncertainty），我们只能在这个非理性的、不确定性

---

① Tom J. Peters. Liberation management：Necessary disorganization for the nanosecond nineties. New York：Alfred P. Knopf，1992.

② Peter F. Drucker. The Age of discontinuity：Guidelines to our changing society. London：Heinemann，1969.

③ Tom J. Peters & Robert H. Waterman，Jr. In Search of excellence：Lessons from America's best run companies. New York：Harper & Row，1982.

④ James Moore. The death of competition：Leadership and strategy in the age of business ecosystems. New York：Harper-Collins，1996.

的整体环境中成功，或者失败。要想成功，就不得不学会与“非理性”“不确定性”的环境相处，那要进行组织的变革与创新。而失败，首先是因为不能接受“非理性”的环境，无法实现组织的变革与创新，因而必然从“非理性”“不确定性”的环境里出局。①

因此，管理学研究需要创造一种刺激支持和培育创造性的环境，需要通过打破固有的范式，引进变革，追求一种多元的、多维的、混沌的或不确定性范式和不稳定的、变化的状态。“组织、社会和个人的管理，最终涉及对矛盾或冲突的管理——个人和社会的选择最终是对适合日常生活图式的那种矛盾的选择。”②

2003 年，彼得斯出版了《重新想象：激荡年代里的卓越商业》。这本篇幅巨大、散漫而又充满激情的类似演讲集的书，是彼得斯在新世纪出版的第一本关于未来商业的管理思想的一篇涉及广泛的纲要。在这本书中，彼得斯以敏锐的思维为读者分析了正在持续变化的商业环境，以他一贯充满激情且犀利的笔触，为读者指出如何超越传统经营理念和商业价值观，大胆拥抱一个更加积极的商业未来。

彼得斯最擅长的题目就是“创新”（innovation）。“请让我们相信曙光就在眼前，但令人沮丧的是这需要不可思议的精神、狂热和创业能量。”这本 340 页新书的副标题是“激荡年代里的卓越商业”，它尝试解决自彼得斯撰写最后一本书以来影响企业

---

① Charles Handy. The age of unreason. London：Century Hutchinson，1989.

② Toby J. Tenenbaum. Shifting paradigms：From newton to chaos. Organizational Dynamics，Spring 1998，26（4）：21－32.

界的极其重大的事件：从2001年9月11日到安然公司和世界通信公司财务造假丑闻、互联网泡沫、经济全球化的变革影响、企业中妇女角色的重要性，以及设计、商标和知识的作用等。

多年来，彼得斯一直在倡导永恒管理革命的概念。他认为，标志如今这个时代的关键词是诸如“混沌”（chaos）、“疯狂”（crazy）及“湍流”（turbulent）这样的概念。这个时代对商界精英们提出了更高的要求，那就是要不断学习、不断探索、不断试验。在这本充满激情的书中，彼得斯说道：“现代社会形势迫使每一个人都加入‘重新想象’的潮流中来。”

彼得斯在本书的开篇中说道：“唯一确定的东西是不确定性（uncertainty）！我们即将面对一个比我们已经经历的疯狂时代更疯狂的时代，但关键在于能够迅速采取行动、迅速改变方向的人们将胜过他人。在与eBay首席执行官梅格·惠特曼（Meg Whiteman）面谈时，她说了一句有趣的话：‘公司通常每年举行两次战略会议，现在我们让它们每周举行两次。’事实是，企业的新陈代谢正在发生变化。”

彼得斯预言：科层制必将走向灭亡。这同他在《解放型管理》所预言的完全相同。传统阶层制和职能化概念上的组织架构必须死亡。他说：“旧组织已经成了一堵墙，成了可恶的障碍，成了暴虐的统治者。”①

在这本书中，汤姆·彼得斯以自己一贯的记者式的观察力和演说家的煽动性，用惊人的个人魅力和表演才能，将那些公司的高层经理们带入了一个哈里·波特式的世界（the world of

① Tom J. Peters. Re-imagine: Business Excellence in a Disruptive Age. London: Dorling Kindersley, 2003, Preface.

Harry Potter）。在这个世界中，每一个人都是天才式的人物，都可以获得更高的成就，拥有更敏锐的头脑和创意。阅读《重新想象》，就像他以前煽情的任何作品一样，一股极为强烈的“语不惊人死不休”的味道会扑鼻而来：他提倡“五人原则”：每十亿美元收入，幕僚人数不超过五人；他鼓吹“四大短命（ephemeral）”：市场短命、组织短命、团队短命、产品短命。汤姆·彼得斯认为当今企业管理的最大问题是：我们缺少疯狂。他主张管理者应该用疯狂的手段对付疯狂的世界。言下之意是，当今的管理方式都太“正常”，不足以应付这个不正常的世界。他最常挂在嘴边的一句话是：疯狂的时代呼唤疯狂的组织。企业能靠“疯狂”经营而成功吗？汤姆·彼得斯带领我们证明这一点：他本人就是一个疯子（crazy）。

在彼得斯看来，商业很酷。因此我们必须展开想象的翅膀，发挥我们独特的才能，同时激发出更多我们想象不到的变革。彼得斯在这本书中，再一次重新定义了商业思维。他声称“重新想象”已经成为我们这一代人的首要任务和责任。“敏锐、刺激、鼓舞、前卫”是汤姆·彼得斯的商业新思维，其中蕴涵着许多创新规则，将有助于我们开发自己“重新想象”的潜力，去开拓一个全新的未来。疯狂的彼得斯在《重新想象》中告诉我们：成功者总是需要因流动而动，而自己永远站在时代的潮头。在这个疯狂的时代，我们唯一的可能就是追随彼得斯的疯狂。

彼得斯认为，“我总的观点是：商业（business）很酷。商业是创造、商业是发明、商业是增长、商业是服务，商业是亚当·斯密（Adam Smith）所说的‘看不见的手’（invisible hand）；商业是诺贝尔桂冠得主弗里德里希·哈耶克（Friedrich

A. Hayek）所说的‘自发的探索过程’；商业是奥地利裔美国著名经济学家约瑟夫·熊彼特（Joseph Alois Schumpeter）所说的‘创造性破坏风暴’（the pale of creative destruction）。”①

“很简单，我们需要一种新的商业模式来应对一个狂热的新经济形势。我非常忌讳使用‘商业模式’（business model）这样的词语，然而我们又的确需要一些‘模式化’的东西，使我们在一场新的经济浪潮中能够具备一些全新的、深刻的、基本的创造价值的理念。在这样的一种经济形势下，一切都是无形的，是以智力资本为基础的，是创造力在不断驱使的，同时又是快速回转的，这是技术疯狂型的年代。”②

如果说《追求卓越》开启了工商管理书籍的第一次革命，20 年后的《重新想象》意在掀起第二次革命。如果说第一次是内容上的革命，那么这一次主要是形式上的革命。自称为“反叛王子”的彼得斯不满足于仅仅在内容上的创新，他要凭借《重新想象》重新塑造商业书籍。这一次他“重新想象”到要创新书籍的形式。他使用颜色、图片、标点符号、页面排版格式等元素，打造出一本“不必从头到尾逐字阅读”、但需要“行动”的书。整本书以鲜明的红色和感叹号为基调，反映了该书“愤怒”“重新想象”“创新”“鲜明的语句、鲜明的观点、鲜明的行动”的主旨。

彼得斯在这本书中，分成了 25 章来论述自己的商业新思维。这些新思维归纳起来，就是一句话：重新想象，包括重新

---

① Tom J. Peters. Re-imagine：Business Excellence in a Disruptive Age. London：Dorling Kindersley，2003，Preface.

② Tom J. Peters. Re-imagine：Business Excellence in a Disruptive Age. London：Dorling Kindersley，2003，Part Three.

想象商业思想、模式、战略、组织、领导等。每部分每一章的首页，都是一张黑森森的页面上烙印一个大大的红色感叹号。300 多页的正文，热情讴歌技术变革的彼得斯把互联网上的网页带入书中——几乎每页正文都以网页的格式排版，页面分三竖栏，中栏宽广，是主文，左右栏窄细，是提供实例和观点来充实主文的“注解”，页面上的重要观点和主张以大红字突出，再加上大量的真实的彩色图片，极具冲击力。只要打开这本书，即使不用细读正文，人们也会产生阅读冲动。

实际上，这本书是彼得斯关于创新的幻灯片演讲稿的合集，全书是由正文和注解两部分组成。正文基本上保留了幻灯片的字体粗大、简洁醒目的特点，注解比正文还长，没有任何彩色。比较起来，形式上脱胎于《汤姆·彼得斯论创新》的《重新想象》，除了以上提到的特点，它还把正文加长，注解缩短，更像是一本有机组成的书。

《重新想象》在商业书籍形式上的突破，似乎淹没了该书的内容。它的逻辑似乎深藏不露，书中没有任何地方明确提到整本书的内容逻辑，使读者难于厘清作者的思路，除非彼得斯在茶余饭后告诉我们他的逻辑是这样的：从商业环境的混乱、毁灭、白领阶层消失开始，讲到在这种环境下应该采取的对策，即以“专业服务公司”模式独树一帜，从而在竞争中胜出。那么专业服务公司在做什么呢？创新！于是他讲到体现创造力的“解决方案”“体验”“实现梦想”。但是，这些东西的基础是什么呢？是精神和灵魂。而他对精神和灵魂的操作性定义就是“设计”。

第三节　效能与效率：严谨厚重与奔放时尚的对决

德鲁克和彼得斯都是效能与效率的崇拜者。但他们两人对效能与效率追求方式颇为不同，德鲁克强调应当通过组织结构的优化和管理制度来实现对效能与效率的追求，而汤姆·彼得斯强调应当通过“创新”、无规则和“非理性”来实现对效能与效率的追求。

对效能与效率追求方式的不同，导致了德鲁克和彼得斯之间的论战。彼得斯专与强调对大工业生产进行管理的德鲁克管理风格唱反调。彼得斯曾经说，他所最憎恨的人就是彼得·德鲁克。彼得斯对德鲁克的批评主要集中于《公司的概念》这本书，他（Peters，1992）在《解放型管理》（Liberation Management）一书中认为，德鲁克的《公司的概念》是彻头彻尾的泰罗主义和马克斯·韦伯理论的翻版。彼得斯认为，德鲁克对马克斯·韦伯的科层制（bureaucracy）太过推崇，而德鲁克的“分权化”就是建立在科层制组织内部协调的社会影响结构基础上的，它是以法规和理性为基础的。

彼得斯认为，“德鲁克推崇的管理阶层、命令、控制和组织严密的商业运作，不过是泰罗主义的余脉。在这些问题上，这个奥地利人无异于在宣扬连上帝都无法知道的管理秘诀。”彼得斯就此对德鲁克进行了恶毒的人身攻击，彼得斯说德鲁克是比德国人还要德国人，因为他血管里流淌的是日尔曼人的血(因为德鲁克是奥地利人)。他认为，德鲁克的《公司的概念》遗毒无穷。对于德鲁克推崇的管理阶层“分权化”、命令、控制和组织严密的商业运作，彼得斯颇为不满地说道：“我讨厌谁呢？彼得·德鲁克就是一个。今天，大家都觉得德鲁克似乎总是属于明白人之列。让我们回到并读一读它吧。看一看据德鲁克所说的这部商业圣经（Business Bible)，你就会看到，组织就是组织！你将无法越轨！这就是当时的风气。因此，在我心目中，德鲁克是敌人。一个很棒的敌人，但仍然是敌人。”①

一、科层制与泰罗制的存与废

从某种意义上说，现代管理学就是“德鲁克管理体系”的基本要素构成的。它们是：企业组织机构设置的“分权化”(decentralization）原则，权力下放，对公司的二级单位授予自

① Tom J. Peters. Liberation management：Necessary disorganization for the nanosecond nineties. New York：Alfred P. Knopf，1992.

主经营权，但公司总部保留投资权、财务融资权和利润分配权；实行“事业部制”组织结构形式（group structure），事业部按照产品线（product line）构建，公司授予事业部自主经营管理权；经理人员职业化，对经理人员以客观职责为基础进行考核；对经理人员的管理实行“授权制与例外原则”（empowerment and exception），即经理人员在其职责的授权范围内，自主决策和自我控制，只有在授权之外出现的例外事情才需要向上级请示汇报。

严格地说，彼得斯反对的是科层制（bureaucracy）、泰罗制的命令（command）和控制（control），并不等同于“德鲁克管理体系”，或者说德鲁克的管理思想。

“Bureaucracy”这个词汇在社会学、经济学和管理学研究中被翻译为“科层制”“科层制组织”或“官僚制”，用于表示行政与生产管理的组织形式、组织原则和行为规范。受十月革命后原苏联对这一名称持否定态度的影响，这个词汇被翻译成“官僚主义体制”或“官僚制”介绍到中国。事实上，“Bureaucracy”一词本身是一个中性词汇，横跨社会学、经济学和管理学等学科，属于组织理论的范畴。

今天，现代社会组织和大型企业基本上都属于马克斯·韦伯所说的科层制组织，科层制组织是随着第二次产业革命而兴起的。如果说现代社会是一个由“组织”构成的社会，要适应现代化大生产的客观要求，必须通过科层制组织内完整、详细的流程、制度和规则来实现。罗德里克·赛登伯格（Seidenberg，1951）在谈到组织对多种人类活动普遍深入的影响力时说：“现代人已经学会了适应一个日益组织化的世界。这个越来越明确自觉的关系的发展趋势是意义深远、规模宏大的，它以其深度而非广度为标志。”①

德鲁克（Drucker，1998）认为，对科层制组织和管理的关注及研究源于19世纪末期大型企业组织的兴起，而对组织的研究一直都基于这样一个假设：有或应该有一种正确的组织结构。早在20世纪初，当时法国最大煤矿公司的总经理、管理学家亨利·法约尔试图解决企业组织结构问题。与此同时，美国企业家如约翰·洛克菲勒（John D. Rockefeller，1839－1937）、约翰·皮尔庞特·摩根（John Pierpont Morgan Sr.，1837－1913）、安德鲁·卡内基（Andrew Carnegie，1835－1919）也开始关注这个主题。到第一次世界大战后，杜邦公司（Du Pont）、小阿尔弗雷德·斯隆（Alfred P. Sloan Jr.）领导的通用汽车公司发展了分权制，他们一直寻求某种正确的组织结构。②

严格地说，传统组织理论的核心就是科层制原则，或者说是科层制组织。它是由马克斯·韦伯提出的有效地解决组织内部协调和效率问题的组织理论。实现科层制组织内部协调的社会影响结构是以法规和理性为基础的，而不是以个人权威（authority）为基础的：被统治者同意服从是因为上司握有正式职位的权力，并具备相应的专长和能力。马克斯·韦伯把科层制组织看成是一种理性化过程，称为“科层化”（bureaucratization）。所谓“科层化”，简单的说就是一种理性化过程，也可说是职务与工作分成更小单位，组织权力与责任有明显界限

① Roderrick Seidenberg. Post historic man. Boston, Massachusetts: Beacon Press, 1951, 2.

② Peter F. Drucker. “Management's new paradigm”. Forbes, October 5 1998, 152－168.

或分化的过程。

自从马克斯·韦伯的"科层制组织理论"诞生以来，不少社会学家和管理学家积极介入了对科层制组织的研究，从总体上对科层制组织与效率关系的评价是正面的。与此同时，也有不少社会学家、管理学家、经济学家和心理学家对科层制组织抱着一种矛盾的心态，每一个人都对既是天使又是恶魔的科层制组织的双重本质有着自己的理解。但也有一些学者坚持要对科层制组织提出质疑。而德鲁克就是质疑者之一，但他在批判马克斯·韦伯的科层制理论的基础上发展出"德鲁克管理体系"。德鲁克（Drucker，1970）在论及知识型企业的管理方法时，对科层组织的有效性提出了质疑。他敏锐地觉察到，在以获取和利用知识作为竞争优势的知识型企业中，思想、文化和信息的交流与传播不会遵从等级制的直线式渠道进行沟通，科层组织不能适应以知识为背景的组织机构的需要。①

20世纪90年代初期，管理学出现了一股对科学主义理想追求的思潮，力图对人本主义范式和汤姆·彼得斯等人的后现代管理学的"非理性"进行消解。

从某种意义上说，德鲁克（Drucker，1991）的《新生产力的挑战》一文标志着泰罗主义的复兴倾向。② 管理学界一般将其称为新管理主义（New Managerialism）。按照克里斯多夫·波利特（Pollitt，1990）在《管理主义和公共服务：盎格

---

① Peter F. Drucker. Technology, management, and society. New York: Harper and Row, Publishers, Inc., 1970. Ch. 5: Technology and Society in the Twentieth Century.

② Peter F. Drucker. "The new productivity challenge". Harvard Business Review, 1991, 69 (11/12): 69－79.

鲁和美国的经验》一书中的解释,“新管理主义”主要由20世纪初发展起来的古典泰罗主义的管理原则所构成,它强调利用商业管理的理论、方法、技术及模式追求更有效率的管理。① 新管理主义的特点是强调追求经济、效率和效益等“三E”(Economy, Efficiency and Effectiveness) 目标。

人们一般把20世纪90年代的管理学复兴视为泰罗主义在当代的重新复苏,将其称为新现代泰罗主义(The Neo - Modern Taylorism)。新现代泰罗主义的重要观点是,管理学追求的目标应当是对科学、效率的追求和对人性的追求,二者不可偏废。德鲁克等人极力主张用建立在人本主义基础上的理性来消解汤姆·彼得斯等人的“非理性”。

在知识经济时代的今天,不论是在资本证券市场上,还是在全球经济活动和企业的经营活动中,都在继续奖励能带来效率提高的管理行为,而追求效率恰恰是泰罗给管理学留下的最大遗产。科学管理在提高现代人的生活水平上也许发挥了其他主张都难以企及的作用。美国《财富》杂志编辑汤姆·斯图尔特(Stewart, 1997)认为,“泰罗主义的精华不只是苦干,不断重复的和狭窄的工作种类。这个人的过人之处在于他极力主张管理工作不仅要使用鞭子,更要运用知识:承担复杂的工作,应用智慧,找出能更简单、更快捷、更出色地完成它的方法。抛弃泰罗是很时髦的事,但更重要的是,要记住科学管理不但在提高劳动生产率上,而且在保护劳动者的尊严上都是一

① Christopher Pollitt. Managerialism and the public services: The Anglo - American experience. Oxford: Basil Blackwell, 1990.

个很大的飞跃。”[①] 更强烈的声音来自莫罗·魁勒恩，他（Guillén，1997）指出，泰罗的科学管理是一种管理模式，是管理思想史的第一个范式，其特征是思考和行动的分离。因此，泰罗范式具有强大的思想张力。[②]

德鲁克（Drucker，1991）在考察西方国家科学技术与社会生产力、管理要素的变化、科学技术与社会进步及管理变革之间的关系后指出：“工业发达国家企业的管理者所面临的最大挑战是如何提高知识工作者、服务工人的劳动效率。这一挑战可能是未来数十年最重要的经营课题之一，也可能成为决定企业间竞争结果的终极原因。不过，最重要的是，这个问题可能会改变工业发达国家的社会结构和左右人们生活的质量。”[③]

在阅读鲁克的著述过程中，我始终有一个感觉，就是认为德鲁克有一种“泰罗情结”，有一种理想主义的观念。与泰罗追求工人或手工劳动的效率不同，德鲁克更注重的是经理人或管理者的效率，或者说是管理工作的效率。德鲁克的名言就是“经理人的工作就是追求效率”。[④] 德鲁克的“有责任心的工人”假设同泰罗的寄希望于产生一场完全的“心理革命”

---

① Tom A. Stewart. Intelligent capital: The new wealth of organizations. London: Nicholas Brealey, 1997.

② Mauro F. Guillén. “Scientific management's lost aesthetic: Architecture, organization, and the Taylorized beauty of the mechanical”. Administrative Science Quarterly, 1997, 42 (4): 682 – 715.

③ Peter F. Drucker. Drucker in the Harvard Business Review. Boston, Massachusetts: Harvard Business School Press, 1991, 69.

④ Peter F. Drucker. The effective executive. New York: Harper and Row, 1966. Preface.

(mental revolution)[①] 有相通的地方，但德鲁克更欣赏的是泰罗的效率来自劳动培训的观点。

德鲁克（Drucker，1991）认为，泰罗对劳动培训形成了巨大的影响。“现代史上所有早期经济大国——英国、美国、德国，都是通过在新技术领域居领先地位而崛起的。战后的经济列强首先是日本，然后是韩国、中国台湾、中国香港、新加坡等国家和地区，都把自己的兴起归功于泰罗的培训。劳动培训使它们能很快就让基本上仍是工业化前的、低工资的劳动力拥有世界级的劳动生产率。战后时期，泰罗的劳动培训成了经济发展唯一真正有效的手段。”[②] 美国管理学家约翰·谢尔达克（Sheldarke，1996）在《管理理论：从泰罗主义到日本化》一书中进一步发展了德鲁克的这个思想，论证了按照泰罗对劳动培训的思想培养出了日本技术精英或“效率工程师”对日本经济奇迹产生的重要作用，指出了泰罗思想的巨大影响。[③]

德鲁克（Drucker，1999）敏锐地注意到，在知识经济时代对知识工作者的管理更加重要。他认为，“提高知识工作者的生产率会成为管理的中心，正如100年前（自泰罗之后）提高体力劳动者的生产率是当时管理的中心一样。这就需要一套与以往截然不同的关于组织中的人及其工作的假设：不是控制

---

① 弗雷德里克·泰罗．科学管理原理．北京：中国社会科学出版社，1984年，第238页。

② Peter F. Drucker. “The new productivity challenge”. Harvard Business Review, 1991, 69 (11/12): 69 – 79.

③ John Sheldarke. Management theory: From Taylorism to Janpanization. International Thomason Business Press, 1996.

人而是引导人，目标是让每一个人的优势和知识得到发挥。”①

在新现代泰罗主义者眼里，劳动培训在提高现代人的生活水平上发挥的巨大作用是其他任何管理主张都难以企及的。科学管理的效率之谜在于泰罗主张将知识系统地应用于工作和工艺流程，通过劳动培训使隐性的知识显性化。德鲁克（Drucker，1991）强烈主张，在知识经济时代，劳动生产率的迅速提高更有赖于对知识工作者（knowledge workers）的劳动培训。②

在新现代泰罗主义者看来，对组织员工进行劳动培训，是与员工的个体特征紧密相连，如个性特征、自我概念、价值观等，有助于发展员工的职业技能，体现出组织的职业特征和个体的职位特征，反映了个人与组织间的关系，以及这种关系是如何随着时间而变化的。在新的心理契约（mental contract）下，员工意识个人追求的应当是自身的发展和提高，企业则鼓励员工自我管理、任务导向，员工和组织是共生共荣、相互依赖的关系。按照新现代泰罗主义者的观点，这种心理契约的基础是员工的可雇佣性（employability）和员工的责任（responsibility），而不是工作的稳定性（stability）和家长式的组织管理（patriarchal management）。劳动培训抓住了工作场所人性表现的核心所在：人生来就具有生产力、积极性和主动性。公司组织的力量不仅在于发挥员工的主观能动性，还在于通过劳动培

① Peter F. Drucker. Management challenges for the 21st century. New York: Harper Press, 1999, 21 -22.

② Peter F. Drucker. “The new productivity challenge”. Harvard Business Review, 1991, 69 (11/2): 69 -79.

训使员工“对个人价值的坚定信赖”。[①] 这本身就是一种人本主义的精神体现。

在新现代泰罗主义者的眼里，泰罗的远见，以及人本主义者和汤姆·彼得斯等人的“非理性”对泰罗思想的强烈反弹，反映了知识经济时代今天生活的一个巨大悖论：泰罗奉为神明的工作效率所带来的物质利益，我们每天都在享受，正是高效率、高工资、高福利使当代人成为泰罗所希望塑造的“快乐的工人”（happy workers）。然而，我们始终痛恨、抵制、反抗效率崇拜给所有劳动者（包括知识工作者）所系上的心理锁链。如果仅仅从科学管理方法将工作从“非人性化”角度入手，是缺乏说服力的，因为管理制度中对人性的理解和劳动生产率的提高并非完全无关。组织的效率和盈利行为，是受包括人性论在内的多种因素影响的结果，是一种多元化的非线性结果（周建，2002）[②]。

二、管理的目标是追求效能与效率

管理的目标是追求效能与效率，对这个问题的看法，汤姆·彼得斯与德鲁克的观点是一致的，他们都对科学管理理论的效率观进行质疑和批评。他们共同的观点是：只有自由而多元的人，才能创造出真正持续的高效能与高效率。

德鲁克强调经理人的卓有成效，经理人就是要追求效能与

---

① Christopher A. Bartlett & Sumantra Ghoshal. The individualized corporation. Boston, Massachusetts: Harvard Business School Press, 1997.

② 周建．“泰罗科学管理的范式观及其思想价值”．《科学学研究》，2002（10）：510－516.

效率。因为“经理人的卓有成效已成为今天的社会需要。社会的凝聚力和优势的发挥，有赖于知识工作者的心理需求和社会需求，能否与组织及工业社会互相融合而定。”太多的管理专家把效能与效率视为企业的生命线，他们因此陷入唯理主义的泥沼而迷信自上而下的集权和监控。

对于个人目标和组织目标的不一致，巴纳德最早提出了“效能”和“效率”两条原则。巴纳德指出，当一个组织系统协作得很成功，能够实现组织目标时，这个系统就是有“效能”的，它是系统（system）存在的必要条件。组织效能是系统取向的，关系到组织目标的实现（Barnard，1948）。[①] 系统的“效率”是指系统成员个人目标的满足程度，协作效率是个人效率综合作用的结果。[②] 巴纳德的观点把正式组织的要求同个人的需要结合起来了，这在管理思想上是一个重大突破。现代组织理论认为，一个组织可能具有较高的效率，但不一定就能实现其目标，因为它生产的产品可能是社会不需要的。同时，一个组织可能实现了其利润目标，但是却可能缺乏效率。[③]

德鲁克在《卓有成效的管理者》中强调了对组织负有责任、能影响组织经营成果的人，就是经理人。经理人的工作必须是卓有成效的，而卓有成效是可以学会的。如此一群平凡的

---

① Chester I. Barnard. Organization and. Management. Cambridge, Massachusetts: Harvard University Press, 1948.

② Chester I. Barnard. The function of the executive. Cambridge, Massachusetts: Harvard University Press, 1938.

③ Richard M. Steers. Organizational effectiveness: A behavioral view. Santa Monica, California: Goodyear, 1977, 51.

人就可以做出不平凡的事。这样的论述，当然与我们通常认为的经理人概念大相径庭。他进而论述经理人的任务：经理人的工作必须卓有成效；他也进而证明经理人可以达到的目标，因为“卓有成效是可以学会的”。德鲁克（Drucker，1966）言简意赅地指出：“今天的社会有两种需要：对组织而言，需要个人为其做出贡献；对个人而言，需要把组织当成实现自己人生目标的工具。只有经理人的卓有成效，才能使这两种社会需要相辅相成。”“经理人的卓有成效已成为今天的社会需要。”①绕了一个弯，德鲁克最终还是关注到社会层面，因为他本来就是从社会层面考察了组织及组织管理。

事实上，德鲁克骨子里有一股对效能与效率追求的思想。在德鲁克看来，管理关注的是效率，而非关注和谐。德鲁克（Drucker，1966）追问：“在以工作或任务为主的环境下，如果我们不能有所成就，就算我们能与人和谐相处、愉快交谈，又有什么意义呢？”② 德鲁克（Drucker，1946）对泰罗的“科学管理”称赞道：“《科学管理原理》的理论无论在哪里都很适用：生产力因之成倍地增长，工人的实际收入急剧上升，工作时间减少，工人的体力、精神压力减小。同时，销售收入和利润提高，而产品价格降低了。”③ 德鲁克（Drucker，1954）在承认“科学管理”对效率的追求是“一个解放的、先驱的

① Peter F. Drucker. The effective executive. New York：Harper and Row，1966.

② Peter F. Drucker. The effective executive. New York：Harper and Row，1966.

③ Peter F. Drucker The concept of the corporation. New York：Transaction Publishers，1946.

见解”的同时，也指出了它的弱点：“科学管理尽管取得了世界性的成功，但仍然没有成功地解决管理工人和工作的问题。正如历史上许多思想一样，这种见解只有一半正确，存在两个盲点：一个是工程方面的，另一个是哲学方面的。”①

在德鲁克看来，泰罗科学管理追求的目标是“效率”标准，它主要应用于劳工身上，关注的是个人的效率。德鲁克（Drucker，1966）认为，卓有成效的管理者追求的是“效能”标准，它主要应用于经理人或管理者身上，而经理人，特别是高层管理者的效能就是组织的效能，关注的是组织的效率而非个人的效率。两者的主要区别在于：前者强调做正确的事情（to get the right done）；后者强调把事情做正确（to do things right）。卓有成效的管理者的任务是找到正确的事情并把它做好。德鲁克指出，效能与一个人的智力或想象力并没有关联。平凡的人可以有效能，而很有名气的天才却可能一事无成。当然，也不存在所谓的“有效的性格”这种说法。德鲁克所观察到的通用汽车公司在总裁小阿尔弗雷德·斯隆的带领下，每一位主管“彼此之间毫无共同之处，除了都具备找出正确的事情并能把它做好的能力”。德鲁克强调：“效能……是一种习惯（nurture），是惯例的综合体。而习惯通常是经由学习得来的。”② 1966年出版的著作的书名饱含深意——《卓有成效的管理者》就是教导人们如何提高效能的书。

而彼得斯认为，组织效能来自于企业本身，“企业（busi-

① Peter F. Drucker. The practice of management. New York：Harper and Row Press，1954.

② Peter F. Drucker. The effective executive. New York：Harper and Row，1966.

ness）的最大贡献是：它所建造的一切使我们的生活比中世纪时代少了许多负担，使我们摆脱了中世纪时代类似于奴隶一样的生活，使我们结束了工业革命前 150 年里可怜的学徒遭遇，使我们的生活水平达到了前所未有的高度。”① 而组织的绩效（performance）来自于企业、领导与管理。“企业就是绩效、领导就是绩效、管理就是绩效。”② 彼得斯这里所说的绩效并不是建立在虚假的人格面具下的骗人把戏，而是把管理作为一门艺术和象征符号行为来对待，它具有“非理性”和“无规则”的特征。

德鲁克（Drucker，1966）认为，效能（effectiveness）是指选择适当的目标并实现目标的能力，或者说组织效能是组织实现其目标的程度。按照德鲁克的说法，就是去做（并完成）正确的事情的能力。它包括两个方面的内容：一是所设定目标必须适当；二是目标必须达成。德鲁克（Drucker，1966）强调，效能是知识工作者（knowledge worker），包括管理者的一种特殊技术，他们只有对组织真正有所贡献，才算是卓有成效。不能假定管理者一定是卓有成效的，所以需要研究其效能问题。效率（efficiency）是指尽可能充分地利用可获得的资源去实现目标的能力。按照他的说法，就是把事情做正确的能力。③

---

① Tom J. Peters. Re-imagine: Business excellence in a disruptive age. London: Dorling Kindersley, 2003, Preface.

② Tom J. Peters & Nancy Austin. A passion for excellence: The leadership difference. New York: Warner Books, 1985.

③ Peter F. Drucker. The effective executive. New York: Harper and Row, 1966. 3 – 4.

德鲁克认为，卓有成效并非是与生俱来的天赋（nature），而是后天滋养出来的习惯（nurture）。德鲁克强调，卓有成效是可以学会的，而且也只能通过系统而反复的训练和持续的实践才能获得，因为卓有成效不是人类的个性（personality）。要实现卓有成效，必须抓“要事”（right things）。对组织中的员工或管理者来说，“要事”无疑是那些以团队或组织为目标导向的任务，即所谓“以终为始”（begin with the end in mind）。德鲁克说：“卓有成效如果有什么秘诀，那就是善于集中精力。卓有成效的管理者总是把重要的事情放在前面做（first things first），而且一次只做好一件事（do one thing at a time）。”①

在实践中，卓有成效的管理要求所有致力于组织总体效能（overall effectiveness）实现的每个方面都要确定标准。最早提出量度企业在不同方面的表现及效能高低的标准就是德鲁克。德鲁克（Drucker, 1954）指出，效能标准至少得由八个方面来确定，即市场情况（market）、创新（innovation）、生产率（productivity）、物质和财力（material and finance）、利润率（profit ratio）、管理人员的工作和责任（managers' task and responsibility）、工人的工作和士气（work and morale）、公共责任（public responsibility）。② 德鲁克的分类丝毫不表明这之间哪一个方面的效能标准比较重要，只是简单地指出了这些标准所必须考虑的全部范围，每个效能标准的先后次序将视企业在具体时期所面临的情况而定。

---

① Peter F. Drucker. The effective executive. New York: Harper and Row, 1966.

② Peter F. Drucker. The practice of management. New York: Harper and Row Press, 1954, 79.

按照彼得斯在《追求卓越》一书中的总结，组织效能（organizational effectiveness）可以归纳为三个关键词：人、客户、行动。在彼得斯的眼中，它要取代的也是三个关键词：数字、科层制、控制。即麦克纳马拉的数字化管理、马克斯·韦伯的科层制和德鲁克的组织结构、泰罗的科学管理与控制。但是，彼得斯这位喜欢语不惊人死不休的感叹号专家，却只有论点，而没有论据和论证过程。如果要追问组织效能来自哪里，彼得斯在《解放型管理》一书中认为，应该建立一种富有弹性、能够及时调整、满足当时经营者需要的新型公司。新型公司结构的关键就在于借助网络，能够在顾客之间、供应商之间、任何有助于生意的人之间实现实时的沟通。他认为企业必须走向一种基于“商业网络”而不是基于“所有权”的新规模观，即一个企业的规模不是看它的资产数量，而是看它能在多大程度上迅速、灵活、富有弹性地吸纳、消化企业边界外各种资源，能有效地降低新市场的进入成本和旧市场的退出成本。

我们认为，彼得斯致力于校正科学管理以来的企业僵滞，他能够给企业现实经营管理活动带来新的时尚和新观点，但却不能告诉人们怎么做？他喜欢将那些流行的词语、还算有趣的笑话一股脑塞进他的畅销书里，和管理学术语搅拌在一起，以突出其新时尚和新思想。在某种意义上，彼得斯在理论观点上的超前和叛逆，使他在管理学界充当的角色类似于狂人尼采在哲学界充当的角色。从严格意义上说，彼得斯是管理学界的叛逆者，在不断否定别人的同时，也在不断否定着自己。

彼得斯想要的并不是建立在传统阶层制和职能化概念上的组织架构。彼得斯（Peters，1982）认为，我们正处在“一个自相矛盾的时代”（the age of paradox）[1]。实际上，他的新组织架构范例都是以没有明显结构而著称，起支撑作用的东西是“非理性”和“无规则”。这是彼得斯的基本观点。彼得斯说道：“明天，卓有成效的组织在每一天都会有所不同。”[2] 这里，我们可以发现，彼得斯进一步发展了美国未来学家阿尔文·托夫勒的观点。托夫勒（Toffler，1970）在《未来的冲击》中提出，企业自身会反复重组，因此他们必须压缩等级制度，采纳我们所说的临时机构。这个提法对许多读者来说都是耸人听闻的。[3] 托夫勒（Toffler，1990）隐含的意思是，问题不是去减少组织的层级、解除分工，而是怎样使他们“健康”、灵活。他指出，在超工业社会，每个组织成员都是临时组合，可分可离；每个单位与许多其他单位不仅有纵向联系，还有横向联系；决策也像产品和服务一样，是因地制宜，而不是标准化。[4]

如果说泰罗所开创的科学管理将人置于制度压迫下，从而获得了工业时代的效率，那么彼得斯则是大胆地将非理性思潮引入管理界，将对个人的尊崇提升至组织之上，并将个人的创造力在商业中的作用推向一个极致。在彼得斯眼里，企业不是

① Tom J. Peters & Robert H. Waterman, Jr. In search of excellence: Lessons from America's best run companies. New York: Harper & Row, 1982.

② Tom J. Peters. Liberation management: Necessary disorganization for the nanosecond nineties. New York: Alfred P. Knopf, 1992.

③ Alvin Toffler. "Future shock". In Rowan Gibson. Ed. Rethinking the future: Rethinking business, principles, competition, control and complexity, leadership, markets and the world. London: Nicholas Brealey Publishing, 1997.

④ Alvin Toffler. Powershift: Knowledge, wealth, and violence at the edge of the 21st century. New York: Bantam, 1990.

整齐划一的，而是复杂多变的，他在《混沌中的生机》《解放型管理》等著作中倡导“走动式管理”（management by wandering around）、“讨厌鬼工作室”（skunk camp）等许多让人耳目一新的管理方法，或许就是彼得斯追求效率和组织效能的新式武器。

我们认为，了解效能的概念，可以为管理人员提供一个全面的角度，从不同方面着眼，以更广阔的目光去探明企业成败之道。说得简单一点，企业赚取高利润并不一定能够保证实现组织高效能。如果组织缺乏基于经营理念基础上的系统观，企业就只能总是处于事务处理状态，不能从战略的高度思考问题，只是“头痛医头，脚痛医脚”“兵来将挡，水来土掩”，没有建立起一个抗风险的“大厦”，甚至看不到失败的种子和危机的到来。公司资本规模小的时候，组织千万不要养成“头痛医头，脚痛医脚”、就事论事地做事情的习惯，否则，很容易在不经意的时候，在一个小小的系统中埋下失效（ineffectiveness）和失败的种子。而当整个系统成长变大的之后，这个种子就会发芽、生根，习惯形成的办事方法和结构会把企业的整个系统不可逆转地拖向失效和失败。当企业领导人仅仅将焦点全集中于迎合顾客喜好及盈利上，而忽略了组织文化的建设、下属的士气和合理的内部赏罚制度，优秀的员工就会对企业丧失信心，人才日渐流失，留下的只是平庸之辈，企业便不自觉地步上了衰败之路。

三、对泰罗主义的修正是管理学研究的主题

事实上，彼得斯的管理学“非理性”学派对新现代泰罗

主义的通过劳动培训使隐性的知识显性化的思想是持肯定态度的，他们也运用了特定的社会维度（Social dimensions）来分析、解释不同社会历史时期的具体管理问题。对德鲁克通过劳动培训使隐性的知识显性化的思想，英国肯特大学人力资源和组织行为专家爱丽丝·拉姆（Lam，1997）认为，组织的知识蕴藏于社会之中，植根于各个组织的协作机制中，而后者则深受社会体制的影响。她认为，应当把教育、培训体制、劳动力市场和职业的类型视为形成工作组织和公司的知识基础的关键因素。教育和培训形成“知识”的社会体制，从而提供资历、工作地位和职务范围的基础，于是影响着不同类型知识的相对重要性和地位及其互动关系的性质。①

美国管理学家加里·哈默尔（Hamel，2001）说：“在全球经济中，低效率毫无藏身之处。如果泰罗活到今天，一定会把沃尔玛特（Wal－Mart）、索尼（Sony）或联邦快递（Federal Express）当作效率明星加以褒扬。”② 事实上，德鲁克早就认识到这一点，只是我们注意得不够。

在德鲁克看来，作为泰罗主义梦想的象征和意义上的“快乐的工人”（happy worker），既不单单是泰罗主义者理性创新（rational transformation）所产生的效率，也不仅仅是人本主义者对工作认同的诠释。管理学的发展恰恰是建立在“以技术为导向”和对问题的辨析”（problem formulation）的基础上的，

① Alice Lam. “Embedded firms, embedded knowledge: Problems of collaboration and knowledge transfer in global cooperative venture.” Organization Studies, 1997, 18 (6): 973－996.

② Gary Hamel. “Revolution vs. evolution: You need both”. Harvard Business Review, 2001 (5): 150－153.

现代组织的效率来自于技术创新，来自个体的学习和组织的学习，来自知识的积累和对知识工作者的劳动培训基础上产生的组织创新。只有知识才能应付知识经济时代残酷市场竞争条件下提高劳动生产率的挑战。“归根到底，发达国家的经济繁荣和最后的存活，越来越依赖这些知识工作者的生产率。”[1] 按照德鲁克最重要的观点，“以技术为导向和对问题的辨析”恰好是分析管理问题的出发点。

我们认为，彼得斯对德鲁克的批评是不公正的。事实上，包括德鲁克在内的许多管理学家也开始对传统泰罗主义的一些思想进行了修正。从逻辑上看，德鲁克所说的这些组织与韦伯的理想型科层制组织刚好相反，类似于汤姆·伯恩斯与乔治·斯托尔克（Burns and Stalker, 1961）的“有机式组织”（organic organizations）。[2] 德鲁克所强调的基于知识的，本质上是自我传导的组织范式[3]，实质上是一种“自组织”（self-organization）范式，而不是传统科层制组织理论的“他组织”范式。它既包含自主性（autonomy）、知识工作者（knowledge worker）、授权（empowerment）、扁平型组织结构（flat structure）、有机体（organism）、员工自我控制（self-control）、任务导向（task orientation）等概念，说明自组织具有共生共荣、相互依赖的员工群体等多个组织要素，又包括通过原则中心领导

① Peter F. Drucker. Management challenges for the 21st century. New York: Harper Press, 1999, 139.

② Tom Burns and George M. Stalker. The management of innovation. London: Tavistock, 1961.

③ Peter F. Drucker. “The coming of new organizations.” Harvard Business Review, 1988, 66 (1/2): 45 – 55.

（principle- centered leadership）、共同愿景（share vision）、宗旨（purpose）、使命（mission）、目标（goal or objectives）和政策（policy）来影响组织自组织活动方式的思想。这些影响组织自组织活动方式的因素，决定了组织的活动边界和活动方式。更重要的是，“自组织”范式形成了员工的新心理契约（mental contract）、员工的可雇佣性（employability）和员工的责任（responsibility）的概念。这种影响方式与传统泰罗主义组织理论的“他组织”或“被组织”范式是不一样的，是与传统组织理论的“他组织”或“被组织”范式相对立的。在我们看来，未来的组织既具有德鲁克所认为的企业需要一个比盈利更宏大的主导精神，又有彼得斯所强调的员工不需要严密的控制和监督，而是管理者和员工更需要激励。

进入20世纪90年代以来，由于互联网的飞速发展和新经济的兴起，社会劳动分工的进一步深化，使新的分布式运行、网络化结构、权力的知识配置方式、企业组织边界弹性化、组织成员分散化的模块化组织（modular organizations）在社会经济生活中广泛出现。这说明科层制组织范式显然不能适应社会经济的发展，新的组织理论必然会出现，并将对科层制组织理论进行修正。

组织理论的新范式发端于德鲁克1988年发表在《哈佛商业评论》上的《新型组织的出现》一文。德鲁克（Drucker，1988）对传统的组织理论假设“整个机构是均匀一致的，故整个企业都应采用相同的方式来组织”的观点进行了严厉的批判。他指出：“20年后的典型大企业，其管理层将不及今天的一半，管理人员也不及今天的1/3。在组织结构、管理对象和控制范围上，这些企业将和20世纪50年代以后崛起的、今天仍被教科书奉为经典的大制造业公司没有丝毫相似之处，而是更接近于那些被现在的经理人员和管理学家所忽略的组织。在我的脑海里，未来的典型企业应该被称为信息型组织（organization based-information）。”

德鲁克认为，这些以知识为基础的企业组织，虽然也在生产和制造产品，但其组织形态和整个商业模式（business model）都将发生巨大变革。企业组织更倾向于采用专家型的结构，“它（组织）以知识为基础，由各种各样的专家组成。这些专家根据来自同事、客户和上级的大量信息，自主决策、自我管理，其组织类型更像是医院或者交响乐队，而非典型的制造企业。”“传统部门的职责将发生巨大变化，主要负责标准维护、人员培训和工作分配，而不具体处理事务。”德鲁克在论文中强调了坚持以人为焦点，在此基础上加上信息化的扁平式组织结构的“以信息为基础的组织理论”，这种理论也可以称为注重人的自我实现的“柔性组织理论”（flexible organizational theory）。德鲁克强调：“企业，尤其是大型企业，将无可选择地以信息为基础……导致这种变化的还有经济学方面的原因，尤其是对大型企业的改造甚至重新创业。然而最终导致这种变化的还是信息技术。”德鲁克认为，这种以信息为基础的大型组织，将会“拥有更加‘扁平的’（Flat）、等级更少的结构”。①

德鲁克的柔性组织理论得到了美国著名社会心理学家、麻省理工学院斯隆管理学院教授埃德加·沙因等人的全力支持。沙因（Schein，1989）在《斯隆管理评论》上著文，表示他完

① Peter F. Drucker. “The coming of new organizations.” Harvard Business Review, 1988, 66 (1/2): 45 – 55.

全同意德鲁克的见解。[①] 彼得斯也在论著中表达了自己对德鲁克的柔性组织理论的支持，将阶层制、职能化和科层制视为“被组织”或“他组织”的代表，他（Peters，1992）在《解放型管理》一书中预言：科层制组织必将走向灭亡。

德鲁克强调，应当辩证地看待科层制组织，在组织形式的选择上并不存在唯一最佳的形式。德鲁克（Drucker，1998）在批评彼得斯观点时指出，直到今天，人们又把“团队”视为适用于各种组织的正确形态，而这些都是错误的。事实上，根本没有“唯一的正确的组织”这回事儿，有的只是各种组织形态，它们有不同的优点、不同的限度与特定的应用。因此，在不同时期内、不同的情况下，不同任务应配合不同的组织形态。如今，“科层制组织已经寿终正寝”之说甚嚣尘上，那是无稽之谈，因为情况危急时，公司的生死存亡有赖于明确的命令，组织中每个人无条件地服从是危机中唯一的希望。另一方面，同一机构在其他一些情况下仍需要团队合作，而且团队亦有不同的种类。[②]

我们认为，在知识经济时代，科层制组织以转移知识为选择的知识——决策配置方式已经行不通了，决策权的分散与根据知识进行授权将是组织的唯一选择；互联网的发展和新经济的兴起催生了企业组织经营模式的变革，要适应未来竞争的需要，必须打破原有严格等级模式并重建组织系列概念和原则，建构组织理论的新范式。正如美国管理学家查尔斯·萨维奇

① Edgar H. Schein. “Reassessing the divine rights of managers” . Sloan Management Review, Winter, 1989, 30 (3): 63 –68.

② Peter F. Drucker. “The new paradigm in management.” Forbes, October 5 1998, 152 –168.

(Savage, 1996) 指出的那样，对于组织理论而言，我们面临的是工业发展的第三个阶段，即知识经济时代早期。[①] 信息技术和互联网的发展为已经成熟化的全球化工厂和市场注入了一些新的变量，这些变量的影响就是今天发生在我们身边的各种变化的主要原因之一，也是工厂化模式进入人类生活以来所面临的最严重的挑战，即“斯密－泰罗－法约尔瓶颈”(Smith－Taylor－Fayol bottleneck)。在进入互联网时代的今天，建立在工厂化背景基础上的科层制组织理论必须进行变革。

我们认为，管理学始终强调把科学性与人性这两种基本的追求联系在一起。管理学的困境在于，它既是科学主义的又是人本主义的，既是精确的又是混沌的，既是工具性的又是艺术性的，既是有序的又是无序的，既是确定的又是不确定的，既是普遍主义的又是特殊主义的，既是主体的又是客体的，既是实证主义的又是诠释性的，既是的理性主义的又是人本主义的，既是理性的又是超越理性的……我们对泰罗主义范式既爱又恨，既渴望完美又害怕完美，既是凡夫俗子又是超越现实的英雄。我们既欣赏泰罗主义范式给组织及其管理带来的效率提升，同时对其负面影响又深恶痛绝。这反映了一个事实，管理学同时是它今天的样子和它渴望成为的样子，它是一门“使用中的理论”。这说明，管理学的两极始终同时存在，但在一定的时期，这两极是相互排斥的。这种内在冲突在于管理学有不同于其他学科的基因和生存条件，“分离的管理学”是一个基

---

① Charles M. Savage. Fifth generation management: Co-creating through virtual enterprising, dynamic teaming and knowledge networking. Revised Edition, Boston, Massachusetts: Butterworth -Heinemann, 1996.

本的事实。管理学自身并不是完美的、和谐的和完整的，我们面对的是组织及其管理的不同部分或不同的价值之间的冲突，现代管理学正是这种双重的管理学。而管理理论的发展强调的恰好是这两极的相互融合。

第四节 德鲁克与彼得斯：后现代管理学的开拓者

按照西方管理学界大多数学者的说法，从德鲁克在 1954 年出版《管理的实践》一书起，管理学就进入现代管理学和管理学新启蒙运动阶段。彼得斯和沃特曼（Peters and Waterman, 1982）声称，“在德鲁克之前，并无管理学的存在”，我们在《追求卓越》中写的所有内容，在《管理的实践》一书的“某个角落都能够找到”,① 更可以代表德鲁克在管理和管理学领域中的独特地位。在德鲁克去世后，彼得斯（Peters,

① Tom J. Peters and Robert H. Waterman, Jr. In search of excellence: Lessons from America's best run companies. New York: Harper & Row, 1982, 287.

2005）立即发表谈话：德鲁克是现代管理学的创造者、发明者。“在20世纪50年代初期，没有人知道该如何管理日益复杂、逐渐失控的组织，他给了我们一份管理指南。”[①]

令人诧异的是，对企业、大学、医院、军队、实验室或政府机构的各项工作进行协调，如此重要的工作人们竟然不知道他们无时无刻不在做的这种事就是“管理”，这情况就如我们无时无刻不在呼吸空气，却不觉得空气存在一样。首先指出这一“视而不见”的现象，并将这种活动发展为系统化的知识的，既不是弗雷德里克·温斯洛·泰罗，也不是亨利·法约尔，而是德鲁克。具体地说，目前我们所了解的现代管理学的启蒙著作，是奠基于德鲁克于1946年出版的《公司的概念》这本书。[②] 这本著作是基于德鲁克深入观察通用汽车公司这一企业机构的实际运作后，将其中的“管理”活动予以观察和分析，写成专著，从此才让世人对于管理活动获得一个全面而透彻的认识。由于这一缘故，怪不得彼得斯（Peters，1992）声称，在德鲁克之前并无管理学的存在。正是这本书建立了当时尚未为人所知，且还没有人教授的“管理”学科，也开启了近30年的管理热潮（management boom）。[③]

---

① Tom J. Peters. “Peter F. Drucker：Right man for his/our times.” The New World，14 November 2005.

② Peter F. Drucker. The concept of the corporation. New York：Transaction Publishers，1946.

③ Tom J. Peters. Liberation management：Necessary disorganization for the nanosecond nineties. New York：Alfred P. Knopf，1992.

一、现代管理学范式的三重奏

在20世纪的后半叶，可以说管理学发展完全是映照在现代主义光环之下的，“敢于求知”成为管理学新启蒙运动的核心思想。概略地说，现代主义指的是20世纪后半叶这一特定时期的管理学思想信念和理论范式。

在对现代主义的遗产进行具体分析之前，首先要追问现代管理学范式从何而来，其理论的支撑点是什么。一般来说，现代管理学中除了“权力”“权威”等个别词语外，其余词语大都是对应或者说是对立的关系：激情和现实、普遍性和特殊性、团队和个人、理论和实践、学术思想和管理技巧等。当然，还有管理学精英和管理的实践者。从现代管理学范式的理论支撑点来看，理论剪刀、双面胶水和启蒙辩证法是其三大法宝，这也是现代管理学主流范式留下的重要文化遗产，并且有作为传家宝代代相传的趋势。

第一，“二元对立”的理论剪刀。

毋庸置疑，现代管理学留下一把无坚不摧的理论剪刀，组织及其管理的任何事物都可以一分为二：管理理论的评判标准先是管理的科学性和人本性、技术性与群体性、正式组织与非正式组织，早期的理论代表是泰罗的科学管理理论和人际关系学派的理论，随后是系统科学性和管理的艺术性，其理论代表为系统管理学派的理论和组织行为学派的理论。从某种意义上说，管理学家的心路历程是“启蒙与救亡的双重变奏”。这种理论剪刀到20世纪80年代以后依然“宝刀不老”，诸如轰动一时的管理的理性面（rational side）和管理的艺术面（art side）、硬性的管理（hard management）和软性的管理（soft management）之争，以及科学主义范式（scientist paradigm）和人本主义范式（humanist paradigm）之辩。可以说，管理学整个100年的发展史的每一个阶段，无不晃动着理论剪刀的影子。这些理论剪刀对“古典管理学”和“现代管理学”的划分不再是纯粹的时间概念，而是成为两个相互映照的时代。一个是管理技术与管理艺术的决斗，一个是系统科学与人性关怀的对垒。一个时代重科学逻辑思想和理论解释，一个时代强调人性关怀和偏向专业研究。

组织行为学大师道格拉斯·麦克雷戈是运用这把理论剪刀最娴熟的管理学家之一。麦克雷戈（McGregor，1957）强调了解人的本性与行为之间关系的重要性。他提出了对人性的认识的“X理论”（Theory X）和“Y理论”（Theory Y）。[①] 严格地说，麦克雷戈的理论剪刀的基本立足点在于“经验阐释”。在麦克雷戈看来，对经验的敏感，是行动自由的基本前提，否则人性的展开就毫无道理。但由于经验所具有的散乱性和盲目性，使得它经常发生变异，时而被权力所异化，时而被狭义的政治所利用。因此，理论剪刀必须对组织及其管理世界的认识，既有对感性经验的警惕，又不被它所蒙蔽，因而理论剪刀需要对经验重新审视和综合。在大范围内激活一种有待张扬的新经验，以及对旧经验和它所产生的感受惯性的批判，就是道格拉斯·麦克雷戈同时关注一件事的两面。从麦克雷戈开始，

① Douglas M. McGregor. The human side of enterprise. The Management Review, 1957, 46 (11): 22–28.

“二元对立”的理论剪刀成为组织行为学的一把无坚不摧的利器，衍生出结构维度的领导和关怀维度的领导、关心生产（concern for production）的领导和关心人（concern for people）的领导等“二元对立”范式。

事实上，理论剪刀的产生由来已久，其核心是各种理论范式的基本假设。德鲁克（Drucker，1999）指出：“社会科学对事实有其自成一体的基本假设。这套假设构成了这门科学的范式，管理学也是如此。在这个领域中的学者和实际工作者视这些基本假设为主题。同时，这些假设也决定了对这一领域关注的焦点，大体上决定了他们忽视或重视的部分。”① 理论剪刀的存在使理论范式和日常话语里充满敌我、好坏、善恶的二元公式，管理学家们试图远离这种话语的行为，但往往无法逃脱二元公式侵袭。剩下来的只有顺从和反抗、忠诚和背叛。面对一种垄断性力量，无论亦步亦趋还是针锋相对，都难以逃脱一种镜像关系。一些管理学家们一方面猛烈攻击“二元对立”的模式，另一方面在攻击的同时又重蹈覆辙，拒绝一种“二元对立”可能又成为另一种“二元对立”的特殊表达方式。除非像德鲁克那样从历史哲学的视角来研究组织及其管理问题，可以从中抽身而出，否则很容易迷失在二元公式里，陷入自我循环。

这说明，管理学的两极始终同时存在，但在特定的时期，这两极是相互排斥的。这种内在冲突在于管理学有不同于其他学科的基因和生存条件，“分离的管理学”是一个基本的事

① Peter F. Drucker. Management challenges for the 21st century. New York: Harper Press, 1999.

实。管理学自身并不是完美的、和谐的和完整的，我们面对的是组织及其管理的不同部分或不同的价值之间的冲突，现代管理学正是这种二重奏的管理学，而管理理论发展追求的恰好是这种二重奏相互融合产生的和声。所以，不必完全禁用理论剪刀，而是需要对它的过度使用有所控制。

严格地说，并非所有的二元框架都有问题。但是如果认定管理学精英是中心、管理实践者是边缘，那么这种二元框架实在说不上是洞见，无非是管理学精英和管理实践者的“二人转”模式。

第二，“二元互补”的双面胶水。

有部分学者以“既……又……”这个连词作为理论联结的双面胶水，试图弥合理论剪刀制造的破碎图景。比如，强调管理理论科学性和艺术性的统一，既有科学逻辑的理论又有人性关怀的艺术，既要注重科学又要注重人性等。

事实上，早期的美国政治学家、管理学家玛丽·帕克·福列特（Mary Parker Follett，1868 – 1933）正是这种双面胶水的代表。她指出：“我们应当记住，我们永远不能把人与机械截然分开。”福列特（Follett，1941）在其所著的《动态的行政管理》中提倡参与式管理，即管理者与雇员之间的和谐。对于科学主义范式，她强调决策应基于具体的场景及责任。福列特预言：“对工商领域中人际关系的研究与对生产技术的研究密不可分。”玛丽·帕克·福列特对双面胶水的总结颇有代表性，她说：“当我们的思想挣脱不出‘非此即彼’的桎梏时，我们将会鼠目寸光，左右碰壁，成功渺茫。千万不要让‘非此即彼’埋没了我们。比‘此’‘彼’两种选择更好的办法极有可能存在。”她强调，整合（integration）是唯一具有积极作用的方法。这种方法可以通过先“暴露”（exposure）出真正的冲突所在，然后把“双方的冲突分解后再变成相互关联的部分”的方法来实现。①

严格地说，权变理论学派是运用双面胶水最纯熟的代表。权变理论学派巧妙地引入环境维度或处境性维度（contextual dimensions）作为“二元互补”的黏和剂，强调管理实务取决于环境，即随机制宜的或因情况而异。时任美国内勃拉斯加大学（University of Nebraska）管理系教授的弗雷德·卢桑斯（Luthans，1973）在1973年发表了题为《权变管理理论：走出丛林的路径》的论文，提出要用权变管理理论来黏和其他所有的各个管理学派的理论。卢桑斯认为，面对古典管理理论和行为科学的“管理理论丛林”（The Management Theory of Jungle），权变理论这个双面胶水被赋予了清理丛林和指引道路的重任。卢桑斯在论文中指出：“所谓的权变路径，有时称为情境的路径，到现在仍只是刚刚兴起。也许1980年以后，这条路径将能引导我们从管理理论丛林中打出一条出路来。”② 然而，权变理论的不足在于环境变量并非新东西，管理人员早已体会到没有一种可以普遍适用的最佳方法，而且权变理论难于确定所有的随机制宜有关因素并指明它们的关系，因为这些关系可能是很复杂的。

当然，这种“二元互补”对“二元对立”构成互补，自然具有它的价值，可是它依然没有改变理论剪刀的规则，最多

---

① Mary Parker Follett. Dynamic administration: The collected papers of Mary Parker Follett. New York: Harper and Brothers Press, 1941.

② Fred Luthans. “The contingency theory of management: A path out of the jungle.” Business Horizons, June 1973, 16 (6): 67 - 72.

只是先用剪刀把东西一分为二，再用胶水把分成两半的东西拼在一起。比如，美国管理学家和管理思想史学家，美国大卫-罗斯-博伊德大学管理学教授丹尼尔·雷恩（Wren，2004）博士在最新版的《管理思想的演进》一书中指出："当我们学会把组织的技术问题同人群问题更好地联系起来，管理学的综合就会实现。"① 但联想当年，作为管理思想史学家的雷恩（Wren，1979）在《管理思想的演进》第一版预设了"作为一个管理学家，怎么看管理的实践者"这个命题，就可以发现这种"自剪自拼"模式的问题所在。雷恩在批评"二元对立"的同时，已经承认了管理学家和管理实践者、个人英雄主义和非精英的一分为二是一种普遍存在的常态。况且在许多情况下，由于各种理论范式的"硬核"（hardcore）和"保护带"（protective belt）② 的不同，要想用双面胶水将其拼在一起，往往很难实现。虽然在有些情况下破镜可以重圆，但用双面胶水拼在一起的碎片，无论多么整齐也会留下痕迹。

第三，启蒙的辩证法。

启蒙是现代管理学的关键词，启蒙叙事是现代管理学的"元话语"，它为其他叙事提供合法性，自身却无需验证。那时所说的启蒙叙事，也是在管理的科学性和管理的艺术性、教

---

① Daniel A. Wren. The evolution of management thought. 4th Edition, New York: John Wiley and Sons Inc. , August 2004.

② 硬核（hardcore）拉卡托斯方法论中的一个技术术语，代表团结一个科学研究框架的领导者们的纯属形而上学的信仰；环绕硬核的是可检验理论的"保护带"（protective belt）、辅助性假说（auxiliary hypothesis）和初始条件（initial condition）。参见 Imre Lakatos. "History of science and its rational reconstruction." in R. S. Cohen and C. R. Buck, eds Boston studies in philosophy of science, Vol. 8. Dordrecht, Holland: PSA/Reidel, 1971. 91-136.

育者和被教育者的二元框架内展开。

启蒙（enlightenment），按照德国著名哲学家伊曼纽尔·康德（Kant，1784）1784 年在哥尼斯堡所作的描述："启蒙运动就是人类脱离自己所加之于自己的不成熟状态，不成熟状态就是不经别人的引导，就对运用自己的理智无能为力。当其原因不在于缺乏理智，而在于不经别人的引导就缺乏勇气与决心去加以运用时，那么这种不成熟状态就是自己所加之于自己的了。敢于显示智慧（Sapere aude）①！要有勇气运用你自己的理智！这就是启蒙运动的口号。"② 管理学新启蒙运动强调启蒙是把人从愚昧中解放出来，不做愚昧的奴隶，希望人们有理性。但是，启蒙运动使管理学精英和管理实践者形成了一种奇特的师徒关系，导师们持双重标准，认为自己的任务就是追求唯知性目标，揭破管理实践者们日常使用的假设，伸张启蒙，教育者可以"不经别人的引导"；认为管理实践者注重实用性目标，且由于缺乏理性而"对运用自己的理智无能为力"。因此，管理学新启蒙运动所要达到的目标恰恰就是康德所说的"不成熟状态"，它并没有扭转人们的思维定式和拓展人们的思维视野。

启蒙者成为先驱，被启蒙者成为后进；启蒙者是觉醒者，被启蒙者是沉睡者；启蒙者呐喊，被启蒙者沉默。理论剪刀再次大显身手，生产"二元对立"；各种双面胶水应运而生，生

---

① sapere aude！是一句拉丁语，可以翻译为"敢于显示智慧"或"敢于运用自己的理性"，它是由德国最伟大哲学家伊曼纽尔·康德在其"什么是启蒙运动？"（1784）著名文章中提出来的，是启蒙运动的战斗口号。

② Immanuel Kant. "What is enlightenment?" in Foundations of the metaphysics of morals. New York：Bobbs – Merrill，1784.

产“二元互补”。与它们相配套的是一种启蒙辩证法，对一个理论范式的认识先把人们分为启蒙者和被启蒙者两个方面，然后是阐述两者的辩证关系：没有启蒙者哪里有被启蒙者，没有被启蒙者也就没有启蒙者；既不能离开启蒙者谈被启蒙者，也不能离开被启蒙者谈启蒙者，启蒙者和被启蒙者是密不可分的。这种启蒙辩证法看似是绕口令，却是管理学家的灵丹妙药，是管理学家将“二元对立”的理论剪刀运用于方法论范式的经典写照。

主流实证主义学者、德国曼海姆大学（University of Mannheim, Germany）教授阿尔弗雷德·凯萨（Kieser, 1997）认为，启蒙范式是一个处方（a prescription of drugs），只是流行的修辞。当一种新时尚受到富人、名人、有权势的人和有影响的人追随时，其他人就蜂拥而至，使之成为时尚的修辞（fashionable rhetoric）。只有不尊敬时代偶像的傻瓜才会抵抗，有谁敢反对有利于进步、提高组织效能和效率的好处方呢？管理学新启蒙运动所形成的奇特师徒关系表现为被启蒙者成为启蒙者手下的牵线木偶（marionette），启蒙者则心中有数，无论什么新处方都有其功用。抛弃了旧处方，就击退了老敌人。无论如何，新处方只要求简单的隐喻（metaphor），无需复杂的经验证明。新处方所取代的不是垃圾，而是曾经完美的处方。这些简单隐喻含意越模糊越有效：被启蒙者可以从中读出的很多的可能性。① 这样的隐喻一定要许诺巨大的挑战和丰厚的报偿，尽管风险会很高。总之，它们绝不能失去想象或“想象力”

---

① Alfred Kieser. “Rhetoric and myth in management fashion.” Organization, 1997, 4 (1): 49 – 74.

(images)①。

迄今为止，这种启蒙辩证法依然控制着我们的思维，现代管理学家对启蒙的怀念也就是对教育者和被教育者的二元框架的怀念，对那种奇特师徒关系的怀念，它与康德所说的启蒙基本上没有什么关系。“要时时牢记别人的引导”，这就是现代管理学新启蒙运动的宗旨。或许在这里我们可以把这种启蒙辩证法称为“庸俗的”，但未必能够跟“高雅的”启蒙辩证法相对应。

二、在现代主义中萌生的后现代精神

现代管理学的理论剪刀、双面胶水和庸俗辩证法在后来的历史进程中也遭到重重狙击，首先遭遇了管理学界内部持不同政见者和叛逆者的非难。德鲁克和彼得斯就是其中持有强烈后现代思想的代表人物，可以说，管理学的后现代精神萌生于现代主义的范式中。

第二次世界大战之后，自然科学的方法被越来越多地引入现代管理学研究中。平心而论，自然科学方法着实拓宽了管理学研究的深度与科学性，但它们也侵蚀了管理学的人文科学性质，使其出现了自然科学化的趋势。当前诸多管理学论著之所以面目可憎，就在于不同程度地放弃了案例研究法和经验类推法，也相应地放弃了最能够体现经验类推方法的叙事史写法

① Gareth Morgan. Images of organizations. Beverly Hill, California: Sage Publications, 1986.

（叙述管理学和工业革命的发展史）。归根到底，自然科学的研究方法强化了管理学的科学性，但牺牲了其人文性和艺术性。将活生生的组织及其管理的现实，完全看成是冷冰冰的生物标本。我们借助于自然科学的显微镜可以观察到组织及其管理的微观世界，却捕捉不到组织及其管理发展的历史神韵和风采。在管理学家们一致推崇的德鲁克最重要的两本著作《管理的实践》（The practice of management）和《管理：任务、责任与实践》（Management：Tasks，responsibilities，practices）中，就充分展现了德鲁克闲庭信步式的经验类推方法的叙事史写法所描绘的组织及其管理发展的历史神韵和风采。德鲁克的整体性最直接的表现就是某些创新性概念、意念频繁地出现在德鲁克不同时期的著述中，现代管理学中几乎所有的概念都可以被追溯到德鲁克那里。彼得斯曾经说："在管理学的所有概念中，有 80% 是由德鲁克创造的，他是当之无愧的管理学之父。"

在德鲁克逝世后，2005 年 11 月 14 日彼得斯（Peters，2005）发表在《新世界》（The New World）上的文章"Peter F. Drucker：Right man for his/our times"一文中认为，在德鲁克之前，著名的管理著作只有中国古代伟大军事家孙子（Sun Tzu）的《孙子兵法》（The art of war）、意大利新兴资产阶级思想家、政治家尼科罗·马基雅维利（Nicolo Machiavelli）的《君王论》（The prince）和"科学管理之父"的弗雷德里克·温斯洛·泰罗的《科学管理原理》（The principles of scientific management）。彼得斯认为，德鲁克的贡献有三个方面：一是发明了我们现在所知道的"现代管理学"；二是使管理作为一种可信赖和具有实践基础的学问与职业；三是第一次提供了可演示和可掌握的解决企业现实问题综合性工具包（comprehensive toolkit-framework）。

最具讽刺意味的是，作为现代管理学奠基人的德鲁克，却是管理学现代主义主流范式的持不同政见者，同时也是“后现代管理理论”（the theory of postmodern management）的提出者。德鲁克（Drucker，1959）早在1959年就提出了“后现代世界”（postmodern world）的概念①，早于法国社会学家阿莱恩·托雷恩（Touraine，1969）②和美国哈佛大学政治学教授丹尼尔·贝尔（Bell，1976）③构建“后工业”（post-industry）概念之前。德鲁克（Drucker，1959）写道：我们生活在一个正在转型的时代，一个前后时代相互交错的时代。此时，昨日的旧“现代”虽继续充当表达思想的媒介、期望的标准及传达命令的工具，但已经不再行之有效地运作了。而正在发展的“后现代”尚缺乏定义、表现方式和手段，但是它已有效地控制了我们的行动及决定这些行动有哪些影响力。④作为现代管理学启蒙叙事的最著名作家，德鲁克运用得最多、也是最精彩的当数经验类推法。

不可否认，管理启蒙思想的内涵从一开始就存在着偏颇，科学精神和人文精神从一开始就失去了平衡。就此意义而言，后现代管理与后现代性是从现代管理学那里发展出来的，正是

① Peter F. Drucker. Landmarks of tomorrow：A report on the new “post-modern” world. New York：Harper & Row，1959.

② Alain Touraine. La Société post-industrielle. Paris：Denoël-Gonthier，1969.

③ Daniel Bell. The coming of post-industrial society. New York：Basic Books，1976.

④ Peter F. Drucker. Landmarks of tomorrow：A report on the new “post-modern” world. New York：Harper & Row，1959.

现代管理学自身的问题，导致了德鲁克和彼得斯对它的诘难。

德鲁克和彼得斯所倡导的“后现代管理理论”可以理解为积极主动地与先前的管理理论的决裂，是要把人从旧的限制和压迫状况中解放出来，进入一个新的领域。因此，从广义上说，后现代管理理论是一种广泛的社会思潮和文化现象，也可以把“后现代”理解为“高度现代”或“超现代”（hyper-modern），它依赖于现代管理理论，是对现代管理理论的继续和强化。

与主流学者一手拿剪刀、一手拿胶水不同，德鲁克绕开两者，用叙事史写法与主流范式的理论剪刀、双面胶水和庸俗启蒙辩证法三大法宝的研究风格唱反调。严格地说，德鲁克绕开这两者的理论思路和方法在于：如果在管理理论不同的研究中运用特定的社会维度（social dimensions）来分析、解释不同社会历史时期的具体管理问题，就可以避开理论剪刀和双面胶水。这种研究方法告诉管理学者，我们更需要的是在不同的语境下用不同的社会历史因子（social historic factor）进行管理问题的衡量，不同的组织结构形式和管理方式可能更好（Mir and Wastson，2000）[1]。而利用这种历史语境分析，可以使管理学的研究者更好地理解历史的语境驱动性质，更容易把握新理论在新历史条件下得以出现的先决条件。比如，德鲁克1976年在其经典之作《管理的实践》的再版前言中写道：管理是一种源自美国社会的产物。这是因为“management”这个词纯

---

① Raza Mir and Andrew Wastson. “Strategic management and philosophy of science: The cases for a constructivist methodology.” Strategic Management Journal, 2000, 21 (9): 941 - 953.

粹是源自美国社会的产物，它几乎无法译成其他文字而仍然保存其原汁原味。令人诧异的是，甚至无法译成英式英文（British English），更不要说中文或日文了。[①] 德鲁克一贯强调，对于任何管理问题都必须把它放在一个具体的社会历史背景中加以考察，必须假定一个特殊的问题情境（problematic context），这就是所谓的社会（历史）维度（分析问题所用的维度，类似数学的平面的二维、立体的三维）。这才是避开理论剪刀和双面胶水最高明的方法。

与对主流范式持不同政见的德鲁克不同，彼得斯是管理学现代主义主流范式的叛逆者。他专与强调对大工业生产进行管理的德鲁克管理风格唱反调，并且每隔 5 年改变一次主意，他的思想很少有连贯性。今天他所赞扬的事情很容易就在他的下一本书中被抛弃了。彼得斯在 1992 年出版的《解放型管理》，就是对现代管理学的宣战书，或是宣告了后现代企业理论的诞生，形成了对当今西方现代管理学的强烈的冲击和回响，彼得斯也被美国财经杂志称为“后现代企业之父”。彼得斯的专用武器就是“标新立异”（new and different），在彼得斯的核心概念里面，“创新”是其“一招鲜，吃遍天”的招牌菜。彼得斯强调变革（change），要求企业重新想象，求新求变，所以激情四射，活力无边，逼近娱乐。事实上，将企业家的“创新”（innovation）定义为社会进步的动力，正是经济学大师、德鲁克的老师熊彼特（Schumpeter，1911）的主要成就之一。在《经济发展理论》中，这位以马克思为论敌，又自称是马

① Peter F. Drucker. The practice of management. New York: Harper and Row Press, 1976. Preface, 3.

克思儿子的大学者论证了他的观点。可惜熊彼特的主要乐趣不在于撰写畅销书，而在于贵族马术的盛装舞步表演，也难怪彼得斯的书会畅销一时。

应当承认，作为当今世界上最受欢迎的管理学大师，彼得斯的研究更关注企业运营层面具有实操性的基本元素，而非空洞的理论。即使是对彼得斯最有力的批评者，也不得不承认他有两个优点：一是他能够让管理这一类最枯燥无聊的题目变得十分有趣；二是他对企业内部运作知之甚详。就我的了解，德鲁克对彼得斯的认同有两点：一是赞同彼得斯关于管理中存在非理性的看法。德鲁克认为，“管理不是，也永远不会是今天美国人所理解的那种（理性）科学。”二是颇为赞赏彼得斯对自己的思想大胆抛弃和纠正的态度，而这正是德鲁克看待这个时代和对这个时代管理理论的态度。在德鲁克看来，彼得斯有许多脍炙人口的惊人之语，彼得斯总是用过于绝对但最简明扼要的语言玩味着貌似艰深的管理话题，但有把管理看得过于简单之嫌。

对于彼得斯的“创新”和“激情”，德鲁克一针见血地指出：“彼得斯著作的力量就在于他强迫你关注最基本的东西……他会使管理听起来是令人难以置信地容易。你所要做的就是把《追求卓越》放回在枕头下，然后一切都会完成。”德鲁克以他特有的冷幽默①调侃：“当玛丽婶婶要为高校毕业的侄儿送一份礼物时，选择的就是《追求卓越》这本书。”《商

① 德鲁克式的冷幽默是他写作中的一绝：那种淡淡的、不经意间自然流露的幽默，让人发愣、不解、深思、顿悟，最后忍俊不住发出酣畅大笑的幽默，让人回味无穷、拍案叫绝。比如，德鲁克挖苦管理学主流范式时，德鲁克说：“当人们研究的课题已经完全陈旧时，它就变成了一门必修课。”

业周刊》则这样评价这位管理奇才:“无论你对汤姆·彼得斯的言论喜欢还是嫌恶,他都称得上是继彼得·德鲁克之后最优秀和最具有影响力的管理学天才。”

彼得斯的成名之作《追求卓越》以强烈的个人主义色彩,提出卓越企业的八个特质,为管理设定了一个积极的目标:宣扬个人自治将取代组织化的监督,标榜创意与行动高于一切,个人而非数字与制度将成为一切商业行为的核心。[①] 一时间洛阳纸贵,畅销美国,轰动一时。彼得斯自己回顾《追求卓越》一书时认为,《追求卓越》的全部精髓可以提炼成三个词:人、顾客、行动。而旧式的管理方法也可以提炼成三个词:数字、官僚主义、控制。《追求卓越》的理念可以被提炼为:柔能克刚(硬)。当时管理的理念以为硬数字可以告诉你如何处置诸如工厂、机器、厂房等硬资产。而《追求卓越》一书却认为任何软的东西才是硬的。人、顾客和关系——这些软的东西决定了什么已完成,完成的工作做得如何。[②]

彼得斯的著作《混沌中的生机》和《解放型管理》,比德鲁克的经验类推法和叙事史写法更让主流范式管理学家大光其火,一个很重要的原因便是他“调戏”了现代管理学的时间可逆性(time reversibility)、普遍性(generalization)和确定性(certainty)。这时的彼得斯已经改变了追求卓越的观点,已经

① Tom J. Peters & Robert Waterman. In Search of excellence: Lessons from America's best-run companies. New York: Harper & Row, 1982.

② Tom J. Peters. “Tom Peters's true confessions.” On the 20th anniversary of In “Search of excellence.” Fast Company, December 2001, (53): 78 -81.

“没有卓越的企业”[①] 了。他不得不这么说，因为《追求卓越》所描述的多数企业的运营都不再是处于平均水平之上。换言之，他最初的理论是一个失败，《追求卓越》中提到的企业的成功看来都是偶然的。事实上，仅在该书出版两年后，彼得斯和沃特曼在该书中推崇的好几家企业，如阿塔利公司（Atari）、旁氏公司（Chesebrough-Pond's）、通用数码（Data General）、弗卢尔公司（Fluor）、国家半导体公司（National Semiconductor），就渐渐泯然众人矣。彼得斯（Peters，2001）在《追求卓越》出版20周年之际，发表了《汤姆·彼得斯真诚的忏悔》一文，坦陈了“追求卓越”的缺失。[②] 彼得斯关心的是，20年后的今天我们还需要追求卓越吗？他的答案是：今天的公司无需追求20年前他所标榜的“卓越”(Excellence)，因为那样的“卓越”在很大程度上是他有意无意编造的一个真实的谎言（A truthful lie），“追求卓越”在很大程度上是一项不可能完成的使命。

不可否认，管理学当前占主导地位的思维方式正在显现出致命的缺陷。人们正在认识到，在很多重要的组织及其管理实践方面，传统管理学的理论已经不能很好地进行解释了。我们对组织及其管理的了解具有局限性，包括人、组织的构成、自然和社会环境在内的所有的复杂性动态系统在本质上具有的不确定性还没有完全被我们认识，组织中人的选择和目标的多样性我们还没有完全揭示。当然，管理学发展的历史背景和动力

---

① Tom J. Peters. Thriving on chaos: Handbook for management revolutions. New York: Alfred P. Knopf, 1988.

② Tom J. Peters. “Tom Peters's true confessions.” On the 20th anniversary of In “Search of excellence.” Fast Company, December 2001, (53): 78－81.

因素也不同于过去。随着知识经济时代的到来和新技术革命的发展，关于组织的管理与组织的创新的问题就成为管理学发展的重要课题。“这意味着人们要不断地站在历史和今天两个不同的角度，从系统整体的视角出发，关注自然界和人类社会所表现出来的长期变革过程。”①

人们逐步发现，现代管理学罗列出来的那些关键性成功因素，在组织及其管理的实践中已经变得越来越靠不住。当今时代，“非理性”“不确定性”广泛存在于组织的商业实践中，无论你是身处世界何地，都会明显地感受到。管理学范式的理性、确定性的描述已经没有任何意义了，确凿无误的东西只是一种空想，组织的整治和秩序的确变得令人难以捉摸。现代管理学范式的理论大厦由于已经失去了确定性和时间对称性的强有力支持，在许多地方已经出现了坍塌。在非线性旗帜下开展的复杂性组织系统的各项研究，对整个管理科学所产生的震撼丝毫不小于20世纪初的科学管理（Scientific Management）和人际关系学说（The Human Relations）。这一方向的研究首先从根本上改变了偶然性与不确定的地位。从管理学成为一门独立的科学以来，偶然性与不确定性一直被认为是来自组织外部的扰动，应该避免或忽略不计，即使是对它有所考虑，至多是“为必然性开辟道路”。现在，人们已经认识到，偶然性、不确定性与确定性一样，都是客观存在。在一定的条件下，确定型系统也会表现出不确定的行为，即随机的、原则上无法预测

---

① 欧文·拉兹洛（Ervin Laszlo）、克里斯托弗·拉兹洛（Christopher Laszlo）. 管理的新思维——第三代管理思想. 北京：社会科学文献出版社，2001年，第27页。

的行为。这就是混沌。组织及其管理的混沌意味着管理者不得不学会与这个“非理性”“不确定性”的环境相处。而时间的不可逆性（irreversibility）、特殊性（specialization）和不确定性（uncertainty）变成煞有介事的精神导师。

彼得斯（Peters，1988）指出：“混沌理论向人们熟知的管理知识提出了挑战，也向传统的管理实践提出了挑战。”① 查尔斯·汉迪（Handy，1989）认为，这是一个“非理性时代”（the age of unreason），其两大特征概括为“非理性”（unreason）和“不确定性”（uncertainty），我们只能在这个非理性的、不确定性的整体环境中成功或者失败。要想成功，就不得不学会与这个“非理性”“不确定性”的环境相处，就是要进行组织的变革与创新；而失败，首先是因为不能接受“非理性”的环境，无法实现组织的变革与创新，因而必然从“非理性”“不确定性”的环境里出局。② 汤姆·彼得斯（Peters，1988）发现，我们花了几十年教导人们从混沌中创造秩序，但是现在不得不再花 10 年从秩序中创造混沌。③

但是，彼得斯并没有因此而站到管理艺术性的一方，他同样“调戏”着管理的艺术性，而这一切都从“调戏”自己做起。彼得斯（Peters，2003）认为，我们处在一个非理性的混沌时代，企业经营世界里没有现成的蓝图和路线图。企业经营

---

① Tom J. Peters. Thriving on chaos：Handbook for management revolutions. New York：Alfred P. Knopf，1988.

② Charles Handy. The age of unreason. London：Century Hutchinson，1989.

③ Tom J. Peters. Thriving on chaos：Handbook for management revolutions. New York：Alfred P. Knopf，1988.

世界里“全是重大的试验，是还在进行中的工作，是一个变化着的盛宴，一个与时俱进的进化故事”。统治这个世界的第一条原则是“天知道”（god alone knows）。在这样一个最终结果只有天知道的世界里，无所作为岂不是“最佳办法”？恰恰不是。如果管理者无所作为，那么管理者就是已经断定了最终的结果（即失败），把 50% 的概率谎称为 100% 。所以随“天知道”而来的是第二条原则“大胆闯”（screw around vigorously）。“大胆闯”就是我们今天追求卓越的方式——追求组织的变革与创新。① 知识经济的基础——呈非连续性、突发性增长的知识决定了知识经济条件下的组织变革与创新的下一步只能是“天知道”，决定了我们唯一符合时宜的行动方式是“大胆闯”。

应当这样说，德鲁克和彼得斯“调戏”了现代管理学启蒙的二元框架，在这一过程中也使管理学的后现代精神得以萌生。组织行为学大师沃伦·本尼斯（Bennis, 1988）在 1988 年为彼得斯《混沌中的生机》一书的推荐序中称彼得斯的语言最具颠覆性，此言非虚。沃伦·本尼斯曾经告诉一位记者：“如果说彼得·德鲁克开创了现代管理学，那么汤姆·彼得斯则带给它生命。”爱尔兰管理学家查尔斯·汉迪（Handy, 2005）在《汤姆·彼得斯精髓》一书的推荐语中写道：“一流的想法、优秀的故事、恰当的引用和很多蕴含智慧的观点聚在一起，组成了名副其实的丰盛大餐，这就是汤姆·彼得斯的特

① Tom J. Peters. Re-imagine: Business excellence in a disruptive age. London: Dorling Kindersley, 2003.

殊贡献。”① 2003 年编纂《行动者和震撼者：商业背后的思想和勇气》(Movers and shakers：The brains and bravado behind business）一书的英国作家罗伯特·赫勒（Heller，2003）评价：“汤姆·彼得斯在一件事情上比任何人做得都多，那就是他把管理学的内容从董事会、学术范畴和咨询业务转换成更广阔的、世界性的受众，它成为媒体和管理者的主要食谱。虽然彼得·德鲁克写了更多的书，他的观点也经受得住更长时间的考验，但是彼得斯作为一个管理咨询顾问、作家、专栏作者、研讨会演讲者和舞台表演者——他的活力、风格、影响和观点塑造了新的管理学思想。”②

三、管理学的后现代精神

进入新世纪，后现代管理学已经对现代管理学的理论剪刀、双面胶水和庸俗辩证法构成挑战，并且正在动摇它们的基础。从某种程度上说，后现代精神表达了对于西方现代管理理性主义的一种恐惧，后现代精神作为一种思维范式运动提供了一种后现代方式的回应。概括起来说，后现代精神主要体现在以下方面：

（1）后现代管理学提出了这样一个命题，时间、地点和文化因素会影响我们对组织及其管理真实性的看法，也会影响

① Tom Peters. Tom Peters essentials. London：Dorling Kindersley，May 24 2005.

② Robert Heller. Movers and shakers：The brains and bravado behind business. London：Bloomsbury Publishing 2003.

我们的结论。对于这样的问题，现代主义者是无法进行争辩的，选择什么样的组织及其管理问题进行讨论，选择本身就受时间、地点和文化背景的影响。但问题在于，后现代管理学并不相信现代管理学的科学性与人性，因为管理的科学性与人性要受到时间、地点和文化背景的影响。增加了时间、地点和文化背景的维度，管理的科学性与人性就会变形。在后现代主义者看来，现代管理学的科学性是一种机械逻辑论和对理性的滥用，而人性并不是独立存在的，是寓于科学、竞争和协作中的。后现代精神倡导的是一种反传统的人本主义，其方法论范式则将人性与科学、竞争与协作看成是不可分离的整体，组织及其管理世界中的人性与科学并不存在整合问题，需要的是用组织内生的伙伴关系和信任机制取代企业之间的对抗、规则与人性的对立、厂商与顾客的对立，以及竞争对手之间的相持。这种思维方式颇似中国古代哲学的“天人合一”“和而不同”的思想。不可否认，管理学新启蒙运动从一开始就存在着偏颇，科学精神和人文精神从一开始就失去了平衡。就此意义而言，后现代精神是从现代管理学那里发展出来的，正是现代管理学自身的问题，导致了后现代管理学对它的诘难。

（2）后现代管理学敏锐地觉察到现代管理学立论基点的可疑性。这里的立论基点指的是试图从某一绝对的、不容置疑的基点出发，由此导出结论。传统管理学认识论（epistemology）认为，任何认识都有一个标准，并且这个标准是确定不移的；任何认识都有一个固定的目标，即获得关于事物本质的真理。后现代精神要求人们思考并怀疑他们在这个世界的作用、他们所处类别、他们所采用的假设及他们对这个世界的理解。后现代精神倡导的并不是“科学性与艺术性共赏”，而是对科学性与艺术性的分类本身进行批判。后现代管理学的目的并非是找到问题的答案……而是要质疑原有的答案。(Cooper and Burrell, 1988)① 后现代精神强调让人们思考他们自己和别人的想法,从而对那些熟悉的、理所当然的观点提出质疑。后现代精神倡导把管理理论当作“话语”(discourse),这些话语因历史而变化,因语境而变化,它不可能超出语言之外从某一实体那里获得它的意义,它们之间是不可通约的(incommensurable)。管理理论并没有一个终极的基础,管理理论的概括,仅仅是人类管理活动历史的说明和人们对真理认识的逐步呈现,每一个方面只是具体发展阶段中的管理学特定话语。没有一个理论范式,也没有一批这样的理论范式可以称得上是终极性的。

(3)后现代管理学利用“解构”(deconstruction)② 这一武器,特别擅长从每一个观点或每一个体系内部找出自相矛盾的因素。这些自相矛盾之处一经暴露出来并孤立地看,就可以发现每一个体系都存在着对自身的反驳,每一种观点都是不完

---

① Robert Cooper and Gibson Burrell. “Modernism, postmodernism and organizational analysis: An introduction.” Organization Studies, 1988, 9 (1): 91-112.

② 按照法国后现代哲学家雅克·德里达(Jacques Derrida)的说法,“解构”并不意味着“摧毁”,不过是一种“阐释策略”。美国北伊利诺斯大学教授芭芭拉·约翰森(Johnson, 1987)认为,“解构”这个词本身就象征着一种另类逻辑,因为它既不是建构也不是拆毁。参见:Jacques Derrida. Dissemination. translated by Barbara Johnson. Chicago, Illinois: The University of Chicago Press, 1981. 207. Barbara Johnson. “Nothing fails like success.” in Barbara Johnson (ed.), A world of difference. [C]. Baltimore and London: Johns Hopkins University Press, 1987. 11-16.

美的、不完整的、不一致的和不能够自成体系的，而且带有一定程度的自我解构性。这里，后现代管理学给了我们一个重大的启发，在我们构筑一个理论体系时或我们试图用某种理论阐释某个领域的问题时，需要认识其中的矛盾因素，认识某些理路存在的问题。我们必须坦然承认，这些不仅存在，而且我们目前可能无力解决，我们无法为自己的理论提供绝对的不容置疑的证明。

我们需要做的是，为自己的断言提供某种或天然的例证，在坚持自己观点的同时，有一定的保留余地，不至于教条、武断。后现代精神强调应该保持理智的谦虚，对不了解的东西保持沉默，并应该以开放的心态来看待与自己不同的，乃至对立的范式或视角。

（4）后现代管理学力主一种怀疑的解释学。后现代精神强调管理学家应当鼓励批判性的自我反思（a critical self-reflexivity）。后现代管理学认为，传统的管理学概念都是作为权力的工具形态而出现的，如果我们不思考时空如何在管理实践中被构造和生产出来这样的问题，我们就会被动地成为这些范式的代言人，最终，这些范式就会塑造我们的意识。在后现代管理学看来，理论分析之所以有用，不仅仅是因为它为我们照亮了管理实践背后蕴藏着的所谓“真实”，而是激发了管理学家作为主体的存在意识。除了对管理实践的判断之外，管理学也能拓展我们的自我理解。

（5）后现代管理学强调叙事的合理性。对后现代管理学来说，论证性的表述和依靠逻辑性构筑的表述，都需要叙事作为一种天然的黏和基础。叙事本身就是管理学的人本性和精神价值的内在要求。德鲁克（Drucker，1959）呼吁，在后现代社会，应使人回归到精神价值上。“必须重申人不单单是一种生物和心理存在，而且是一种精神存在；他是一种造物主所创造的生灵，以造物主为其存在的目的，并且受造物主的支配。”①

严格地说，管理学后现代精神并不是一个新的时代，而是要重写现代管理学所代表的某些特征。应当看到，在那些严谨的源流思想家那里，并没有一场“后现代管理学”对“现代管理学”的革命召唤，也没有以后现代管理学替代现代管理学的宏伟纲领。从根本上讲，后现代精神的核心就在于把人们从现代理性范式的束缚中解放出来，使人们对理性教条有一个清醒的认识，不做理性教条的奴隶，做自己的主人，自己去分辨真假、善恶，而不受理性的束缚。从这个角度来看，后现代精神的最大贡献在于扭转了我们的思维定式，拓展了我们的思维视野。

四、结束语

从某种意义上说，德鲁克和彼得斯所倡导的后现代管理学可以理解为对某些沉睡许久的管理概念和价值观念的唤醒，它们为新的社会想象开辟空间，这些想象将面向实践并以新的方式对话。但是，德鲁克和彼得斯所倡导的后现代管理理论有所不同，可以说是理论流派并行，甚至有互相消解的作用，某种程度上妨碍了后现代在管理学内的继续发展。

---

① Peter F. Drucker. Landmarks of tomorrow：A report on the new “post-modern” world. New York：Harper & Row，1959.

严格地说，德鲁克是“建构论”（constructionism）的后现代管理学家，彼得斯是“解构论”（deconstructionism）的后现代管理学家。

以德鲁克为代表的“建构论”后现代管理学家总是谨慎地、细致地、各自面对特定语境（contextual）中的特定问题，谨慎地界定自己理论的有效边界，从不假扮自己可以回答边界以外的任何问题。建构论者则是将“现代”作为研究评论的对象，不一定完全带有贬义，更接近于有条件地容纳一些现代性的原则。持“建构论”的后现代管理学家在概念基础的层次上，在其全部的话语中，其提倡者们致力于证明组织及其管理世界并非如现代管理学所宣称的那样，是一个为线性因果规律所支配的永久稳定的统一组织体和一个确定性的管理系统，而是一个为根本不确定性、随机性和不可预测的涨落所支配的不均匀过程。他们论证说，作为现代性特征的现代管理学方法的还原理性和工具理性，以及它所强调的理论、逻辑、客观性、预测和控制等，应当由对组织及其管理系统的差异和复杂性的敏感性、合理的解构论和对差异的宽容所补充或者取代，以及对案例研究、实验、修辞学、授权、自主性、参与性和适应性的强调。而现代管理学那种把组织及其管理的进步看作是朝向人类自身的实现和完善逐步进化过程的目的论观点，则应被取代为一种组织及其管理的进步是征服与抵抗、竞争与适应之间多少有些彼此独立的过程替代。在德鲁克等持“建构论”的后现代管理学家对现代管理学与后现代管理理论的论述中，包含两个表面上相互矛盾的基本方面：一方面，他们努力把后现代管理理论统一于现代管理学的整体中；另一方面，他们又反对现代的整体性，主张用后现代的重写消解这个整体性。德鲁克（Drucker，1959）写道："我们已经不再了解这样的问题：改变本身到底是好是坏？一开始，我们先改变当时被人们视为规范的东西。在这个过程中，我们并不认为秩序被改变了……我们认为改变本身就是一种秩序。事实上，时至今日，我们唯一能够理解的秩序是一个动态的、不断前进的、一直在改变的秩序。"①

以彼得斯为代表的解构论者对于"现代"这个概念经常是表明立场的贬义词，对现代管理学所假设的许多理性命题，比如，管理科学进步、组织的进化和人性实现等启蒙主义设计提出"全称否定句式"的质疑。持"解构论"的后现代管理学家的基本思想是否定理性主义作为管理理论的基石，否定传统管理学人性的基本假设，否定管理的普遍主义意义，否定传统管理理论的研究方法。

于是，对后现代管理理论作为一个混合概念的有效性，人们就有可能提出质疑："要理解一个概念是如何从一种媒介转移到另一种媒介常常是困难的……不同的作家将后现代……理解为与各种的、有时甚至是对立的政治立场有本质关联的东西。"②

后现代精神实质上是一场广义的管理学思维方式的运动。后现代管理学思维方式与现代管理学思维方式不同，它是一个多元化的思维方式，是一场对西方现代管理学理性范式强劲而普遍批评的范式运动。作为一种范式运动，后现代管理学的首

---

① Peter F. Drucker. Landmarks of tomorrow：A report on the new "post-modern" world. New York：Harper & Row，1959.

② Janet Wolff. "Postmodern theory and feminist art practice" . In Roy Boyne and Ali Rattansi，eds. Postmodernism and society. London：Macmillan，1990，192 – 193.

要任务就是消解现代管理学范式运动的消极影响，解构和颠覆现代管理学方法论范式基础及构建其上的现代管理学范式，其表现是极力倡导“范式的革命”和“思维方式的转换”。因此，后现代精神更多的是从思维方式的角度来探究当代西方企业组织和管理进化的新特征、新矛盾及其理论走向，折射出当代西方现代管理学裂变的征兆，并以不同态度、方式寻求解决管理理论发展的矛盾之途。

我们认为，管理学现代主义和后现代主义既不是对立的，也不是互补的。后现代管理学虽然表面上同现代管理学相对立，甚至在某种程度上与现代管理学对立，但实质上它同现代管理学范式有着极强的血脉联系。后现代管理学深深扎根于西方现代管理学中。

从哲学意义上看，现代管理学建立的基石是古希腊哲学与基督教结合在一起所理解的终极实在。这个终极实在就是把现代管理学的理性看成是一个抽象的、完全不变的“上帝”。在管理学后现代精神看来，现代管理学继承了古希腊哲学的思想，认为存在一个绝对不变的理念。后现代管理学力图打破现代管理学中的绝对理念和宗教中绝对存在上帝的形式主义（formalism）的禁锢，发起了一场对管理学内部的激烈变革。后现代精神强调运用现象学、诠释学、存在主义、实用主义等攻击抽象的、永远存在的形式（form），或者叫作“Idea”，也就是柏拉图所说的“理念”，亚里士多德所说的“存在背后的存在”，或是泰罗所说的“理性”“效率”。在后现代管理学的思想中，管理学追求的不是本源意义上的“理性”“效率”，而“理性”“效率”是与“人性”紧密联系的，现代管理学所看到的只是一个抽象性的、客观性的对象，那是“同”，而非

“和”，是“同而不和”。在后现代管理学看来，现代管理学主流学派的科学性是一种机械逻辑论和对理性的滥用，而“理性”“效率”与“人性”并不是独立存在的，是寓于科学、竞争和协作中的。

现在宣布现代管理学的遗产已经退场还为时过早。现代管理学范式的三大法宝越是遭受打击，越会坚强地存在于现代管理学的某些思想体系中。但是，后现代管理学让现代管理学家们感到最失落和不适的，便是发现自己居然属于自己所要启蒙和引导的管理实践者中的一部分。应当这样说，管理学精英和管理实践者是有差异的，但是这种差异不是管理学精英启蒙和引导管理实践者的差异，而是一种分工的差异。

推荐作者得新书！

博瑞森征稿启事

亲爱的读者朋友：

感谢您选择了博瑞森图书！希望您手中的这本书能给您带来实实在在的帮助！

博瑞森一直致力于发掘好作者、好内容，希望能把您最需要的思想、方法，一字一句地交到您手中，成为专业知识与管理实践的纽带和桥梁。

但是我们也知道，有很多深入企业一线、经验丰富、乐于分享的优秀专家，或者往来奔波没时间，或者缺少专业的写作指导和便捷的出版途径，只能茫然以待……

还有很多在竞争大潮中坚守的企业，有着异常宝贵的实践经验和独特的闪光点，但缺少专业的记录和整理者，无法让企业的经验和故事被更多的人了解、学习、参考……

这些都太遗憾了！

博瑞森非常希望能将这些埋藏的"宝藏"发掘出来，贡献给广大读者，让更多的人得到帮助。

所以，我们真心地邀请您，我们的老读者，帮助我们一起搜寻：

推荐作者。

可以是您自己或您的朋友，只要对本土管理有实践、有思考；可以是您通过网络、杂志、书籍或其他途径了解的某位专家，不管名气大小，只要他的思想和方法曾让您深受启发。

推荐企业。

可以是您自己所在的企业，或者是您熟悉的某家企业，其创业过程、运营经历、产品研发、机制创新，等等。无论企业大小，只要乐于分享、有值得借鉴书写之处。

总之，好内容就是一切！

博瑞森绝非"自费出书"，出版项目费用完全由我们承担。您推荐的作者或企业案例一经采用，我们会立刻向您赠送书币 100 元，可直接换取任何博瑞森图书的纸质版或电子版。

感谢您对本土管理的支持！感谢您对博瑞森图书的帮助！

推荐邮箱：bookgood@126.com　　推荐手机：13611149991

1120 本土管理实践与创新论坛

这是由 100 多位本土管理专家联合创立的企业管理实践学术交流组织，旨在孵化本土管理思想、促进企业管理实践、加强专家间交流与协作。

论坛每年集中力量办好两件大事：第一，“**出一本书**”，汇聚一年的思考和实践，把最原创、最前沿、最实战的内容集结成册，贡献给读者；第二，“**办一次会**”，每年 11 月 20 日本土管理专家们汇聚一堂，碰撞思想、研讨案例、交流切磋、回馈社会。

论坛理事名单（以年龄为序，以示传承之意）

首届常务理事：

彭志雄　曾　伟　施　炜　杨　涛　张学军
郭　晓　程绍珊　胡八一　王祥伍　李志华
陈立云　杨永华

理　　事：

卢根鑫　王铁仁　周荣辉　曾令同　陆和平　宋杼宸　张国祥
刘承元　曹子祥　宋新宇　吴越舟　吴　坚　戴欣明　仲昭川
刘春雄　刘祖轲　段继东　何　慕　秦国伟　贺兵一　张小虎
郭　剑　余晓雷　黄中强　朱玉童　沈　坤　阎立忠　张　进
丁兴良　朱仁健　薛宝峰　史贤龙　卢　强　史幼波　叶敦明
王明胤　陈　明　岑立聪　方　刚　何足奇　周　俊　杨　奕
孙行健　孙嘉晖　张东利　郭富才　叶　宁　何　屹　沈　奎
王　超　马宝琳　谭长春　夏惊鸣　张　博　李洪道　胡浪球
孙　波　唐江华　程　翔　刘红明　杨鸿贵　伯建新　高可为
李　蓓　王春强　孔祥云　贾同领　罗宏文　史立臣　李政权
余　盛　陈小龙　尚　锋　邢　雷　余伟辉　李小勇　全怀周

初勇钢	陈　锐	高继中	聂志新	黄　屹	沈　拓	徐伟泽
谭洪华	崔自三	王玉荣	蒋　军	侯军伟	黄润霖	金国华
吴　之	葛新红	周　剑	崔海鹏	柏　龑	唐道明	朱志明
曲宗恺	杜　忠	远　鸣	范月明	刘文新	赵晓萌	张　伟
韩　旭	韩友诚	熊亚柱	孙彩军	刘　雷	王庆云	李少星
俞士耀	丁　昀	黄　磊	罗晓慧	伏泓霖	梁小平	鄢圣安

企业案例·老板传记

书名.作者	内容/特色	读者价值
你不知道的加多宝:原市场部高管讲述 曲宗恺　牛玮娜　著	前加多宝高管解读加多宝	全景式解读,原汁原味
收购后怎样有效整合:一个重工业收购整合实录 李少星　著	讲述企业并购后的事	语言轻松活泼,对并购后的企业有借鉴作用
娃哈哈区域标杆:豫北市场营销实录 罗宏文　赵晓萌　等著	本书从区域的角度来写娃哈哈河南分公司豫北市场是怎么进行区域市场营销,成为娃哈哈全国第一大市场、全国增量第一高市场的一些操作方法	参考性、指导性,一线真实资料
像六个核桃一样:打造畅销品的36个简明法则 王　超　范　萍　著	本书分上下两篇:包括“六个核桃”的营销战略历程和36条畅销法则	知名企业的战略历程极具参考价值,36条法则提供操作方法
六个核桃凭什么:从0过100亿 张学军　著	首部全面揭秘养元六个核桃裂变式成长的巨著	学习优秀企业的成长路径,了解其背后的理论体系
借力咨询:德邦成长背后的秘密 官同良　王祥伍　著	讲述德邦是如何借助咨询公司的力量进行自身与发展的	来自德邦内部的第一线资料,真实、珍贵,令人受益匪浅
解决方案营销实战案例 刘祖轲　著	用10个真案例讲明白什么是工业品的解决方案式营销,实战、实用	有干货、真正操作过的才能写得出来
招招见销量的营销常识 刘文新　著	如何让每一个营销动作都直指销量	适合中小企业,看了就能用
我们的营销真案例 联纵智达研究院　著	五芳斋粽子从区域到全国/诺贝尔瓷砖门店销量提升/利豪家具出口转内销/汤臣倍健的营销模式	选择的案例都很有代表性,实在、实操!
中国营销战实录:令人拍案叫绝的营销真案例 联纵智达　著	51个案例,42家企业,38万字,18年,累计2000余人次参与……	最真实的营销案例,全是一线记录,开阔眼界
双剑破局:沈坤营销策划案例集 沈　坤　著	双剑公司多年来的精选案例解析集,阐述了项目策划中每一个营销策略的诞生过程,策划角度和方法	一线真实案例,与众不同的策划角度令人拍案叫绝、受益匪浅
宗:一位制造业企业家的思考 杨　涛　著	1993年创业,引领企业平稳发展20多年,分享独到的心得体会	难得的一本老板分享经验的书
简单思考:AMT咨询创始人自述 孔祥云　著	著名咨询公司(AMT)的CEO创业历程中点点滴滴的经验与思考	每一位咨询人,每一位创业者和管理经营者,都值得一读
边干边学做老板 黄中强　著	创业20多年的老板,有经验、能写、又愿意分享,这样的书很少	处处共鸣,帮助中小企业老板少走弯路
三四线城市超市如何快速成长:解密甘雨亭 IBMG国际商业管理集团　著	国内外标杆企业的经验+本土实践量化数据+操作步骤、方法	通俗易懂,行业经验丰富,宝贵的行业量化数据,关键思路和步骤
中国首家未来超市:解密安徽乐城 IBMG国际商业管理集团　著	本书深入挖掘了安徽乐城超市的试验案例,为零售企业未来的发展提供了一条可借鉴之路	通俗易懂,行业经验丰富,宝贵的行业量化数据,关键思路和步骤

续表

互联网＋			
	书名．作者	内容/特色	读者价值
互联网＋	**互联网时代的银行转型** 韩友诚　著	以大量案例形式为读者全面展示和分析了银行的互联网金融转型应对之道	结合本土银行转型发展案例的书籍
	正在发生的转型升级·实践 本土管理实践与创新论坛　著	企业在快速变革期所展现出的管理变革新成果、新方法、新案例	重点突出对于未来企业管理相关领域的趋势研判
	触发需求：互联网新营销样本·水产 何足奇　著	传统产业都在苦闷中挣扎前行，本书通过鲜活的案例告诉你如何以需求链整合供应链，从而把大家熟知的传统行业打碎了重构、重做一遍	全是干货，值得细读学习，并且作者的理论已经经过了他亲自操刀的实践检验，效果惊人，就在书中全景展示
	移动互联新玩法：未来商业的格局和趋势 史贤龙　著	传统商业、电商、移动互联，三个世界并存，这种新格局的玩法一定要懂	看清热点的本质，把握行业先机，一本书搞定移动互联网
	微商生意经：真实再现33个成功案例操作全程 伏泓霖　罗晓慧　著	本书为33个真实案例，分享案例主人公在做微商过程中的经验教训	案例真实，有借鉴意义
	阿里巴巴实战运营——14招玩转诚信通 聂志新　著	本书主要介绍阿里巴巴诚信通的十四个基本推广操作，从而帮助使用诚信通的用户及企业更好地提升业绩	基本操作，很多可以边学边用，简单易学
	今后这样做品牌：移动互联时代的品牌营销策略 蒋　军　著	与移动互联紧密结合，告诉你老方法还能不能用，新方法怎么用	今后这样做品牌就对了
	互联网＋“变”与“不变”：本土管理实践与创新论坛集萃．2016 本土管理实践与创新论坛　著	本土管理领域正在产生自己独特的理论和模式，尤其在移动互联时代，有很多新课题需要本土专家们一起研究	帮助读者拓宽眼界、突破思维
	创造增量市场：传统企业互联网转型之道 刘红明　著	传统企业需要用互联网思维去创造增量，而不是用电子商务去转移传统业务的存量	教你怎么在“互联网＋”的海洋中创造实实在在的增量
	重生战略：移动互联网和大数据时代的转型法则 沈　拓　著	在移动互联网和大数据时代，传统企业转型如同生命体打算与再造，称之为“重生战略”	帮助企业认清移动互联网环境下的变化和应对之道
	画出公司的互联网进化路线图：用互联网思维重塑产品、客户和价值 李　蓓　著	18个问题帮助企业一步步梳理出互联网转型思路	思路清晰、案例丰富，非常有启发性
	7个转变，让公司3年胜出 李　蓓　著	消费者主权时代，企业该怎么办	这就是互联网思维，老板有能这样想，肯定倒不了
	跳出同质思维，从跟随到领先 郭　剑　著	66个精彩案例剖析，帮助老板突破行业长期思维惯性	做企业竟然有这么多玩法，开眼界

续表

行业类：零售、白酒、食品/快消品、农业、医药、建材家居等			
书名．作者		内容/特色	读者价值
零售·超市·餐饮·服装·汽车	**1. 总部有多强大，门店就能走多远** **2. 超市卖场定价策略与品类管理** **3. 连锁零售企业招聘与培训破解之道** **4. 中国首家未来超市：解密安徽乐城** **5. 三四线城市超市如何快速成长：解密甘雨亭** IBMG 国际商业管理集团　著	国内外标杆企业的经验 + 本土实践量化数据 + 操作步骤、方法	通俗易懂，行业经验丰富，宝贵的行业量化数据，关键思路和步骤
	涨价也能卖到翻 村松达夫　【日】	提升客单价的 15 种实用、有效的方法	日本企业在这方面非常值得学习和借鉴
	移动互联下的超市升级 联商网专栏频道　著	深度解析超市转型升级重点	帮助零售企业把握全局、看清方向
	手把手教你做专业督导：专卖店、连锁店 熊亚柱　著	从督导的职能、作用，在工作中需要的专业技能、方法，都提供了详细的解读和训练办法，同时附有大量的表单工具	无论是店铺需要统一培训，还是个人想成为优秀的督导，有这一本就够了
	百货零售全渠道营销策略 陈继展　著	没有照本宣科、说教式的絮叨，只有笔者对行业的认知与理解，庖丁解牛式的逐项解析、展开	通俗易懂，花极少的时间快速掌握该领域的知识及趋势
	零售：把客流变成购买力 丁　昀　著	如何通过不断升级产品和体验式服务来经营客流	如何进行体验营销，国外的好经营，这方面有启发
	餐饮企业经营策略第一书 吴　坚　著	分别从产品、顾客、市场、盈利模式等几个方面，对现阶段餐饮企业的发展提出策略和思路	第一本专业的、高端的餐饮企业经营指导书
	赚不赚钱靠店长：从懂管理到会经营 孙彩军　著	通过生动的案例来进行剖析，注重门店管理细节方面的能力提升	帮助终端门店店长在管理门店的过程中实现经营思路的拓展与突破
	汽车配件这样卖：汽车后市场销售秘诀 100 条 俞士耀　著	汽配销售业务员必读，手把手教授最实用的方法，轻松得来好业绩	快速上岗，专业实效，业绩无忧
耐消品	**跟行业老手学经销商开发与管理：家电、耐消品、建材家居** 黄润霖　著	全部来源于经销商管理的一线问题，作者用丰富的经验将每一个问题落实到最便捷快速的操作方法上去	书中每一个问题都是普通营销人亲口提出的，这些问题你也会遇到，作者进行的解答则精彩实用
白酒	**白酒到底如何卖** 赵海永　著	以市场实战为主，多层次、全方位、多角度地阐释了白酒一线市场操作的最新模式和方法，接地气	实操性强，37 个方法、6 大案例帮你成功卖酒
	变局下的白酒企业重构 杨永华　著	帮助白酒企业从产业视角看清趋势，找准位置，实现弯道超车的书	行业内企业要减少 90%，自己在什么位置，怎么做，都清楚了

续表

白酒	**1. 白酒营销的第一本书(升级版)** **2. 白酒经销商的第一本书** 唐江华　著	华泽集团湖南开口笑公司品牌部长，擅长酒类新品推广、新市场拓展	扎根一线，实战
	区域型白酒企业营销必胜法则 朱志明　著	为区域型白酒企业提供35条必胜法则，在竞争中赢销的葵花宝典	丰富的一线经验和深厚积累，实操实用
	10步成功运作白酒区域市场 朱志明　著	白酒区域操盘者必备，掌握区域市场运作的战略、战术、兵法	在区域市场的攻伐防守中运筹帷幄，立于不败之地
	酒业转型大时代：微酒精选2014－2015 微酒　主编	本书分为五个部分：当年大事件、那些酒业营销工具、微酒独立策划、业内大调查和十大经典案例	了解行业新动态、新观点，学习营销方法
快消品·食品	**中国快消标杆品牌观察：和内行一起看透营销套路** 陈海超　著	多年营销经验的一线老手把案例掰开了、揉碎了，从中得出的各种手段和方法给读者以帮助和启发	营销那些事儿的个中秘辛，求人还不一定告诉你，这本书里就有
	乳业营销第一书 侯军伟　著	对区域乳品企业生存发展关键性问题的梳理	唯一的区域乳业营销书，区域乳品企业一定要看
	食用油营销第一书 余　盛　著	10多年油脂企业工作经验，从行业到具体实操	食用油行业第一书，当之无愧
	中国茶叶营销第一书 柏　龑　著	如何跳出茶行业"大文化小产业"的困境，作者给出了自己的观察和思考	不是传统做茶的思路，而是现在商业做茶的思路
	调味品营销第一书 陈小龙　著	国内唯一一本调味品营销的书	唯一的调味品营销的书，调味品的从业者一定要看
	快消品营销人的第一本书：从入门到精通 刘　雷　伯建新　著	快消行业必读书，从入门到专业	深入细致，易学易懂
	变局下的快消品营销实战策略 杨永华　著	通胀了，成本增加，如何从被动应战变成主动的"系统战"	作者对快消品行业非常熟悉、非常实战
	快消品经销商如何快速做大 杨永华　著	本书完全从实战的角度，评述现象，解析误区，揭示原理，传授方法	为转型期的经销商提供了解决思路，指出了发展方向
	一位销售经理的工作心得 蒋　军　著	一线营销管理人员想提升业绩却无从下手时，可以看看这本书	一线的真实感悟
	快消品营销：一位销售经理的工作心得2 蒋　军　著	快消品、食品饮料营销的经验之谈，重点图书	来源与实战的精华总结
	快消品营销与渠道管理 谭长春　著	将快消品标杆企业渠道管理的经验和方法分享出来	可口可乐、华润的一些具体的渠道管理经验，实战
	成为优秀的快消品区域经理(升级版) 伯建新　著	用"怎么办"分析区域经理的工作关键点，增加30%全新内容，更贴近环境变化	可以作为区域经理的"速成催化器"
	销售轨迹：一位快消品营销总监的拼搏之路 秦国伟　著	本书讲述了一个普通销售员打拼成为跨国企业营销总监的真实奋斗历程	激励人心，给广大销售员以力量和鼓舞

续表

快消品·食品	**快消老手都在这样做：区域经理操盘锦囊** 方刚　著	非常接地气，全是多年沉淀下来的干货，丰富的一线经验和实操方法不可多得	在市场摸爬滚打的"老油条"，那些独家绝招妙招一般你问都是问不来的
	动销四维：全程辅导与新品上市 高继中　著	从产品、渠道、促销和新品上市详细讲解提高动销的具体方法，总结作者18年的快消品行业经验，方法实操	内容全面系统，方法实操
农业	**新农资如何换道超车** 刘祖轲　等著	从农业产业化、互联网转型、行业营销与经营突破四个方面阐述如何让农资企业占领先机、提前布局	南方略专家告诉你如何应对资源浪费、生产效率低下、产能严重过剩、价格与价值严重扭曲等
	中国牧场管理实战：畜牧业、乳业必读 黄剑黎　著	本书不仅提供了来自一线的实际经验，还收入了丰富的工具文档与表单	填补空白的行业必读作品
	中小农业企业品牌战法 韩　旭　著	将中小农业企业品牌建设的方法，从理论讲到实践，具有指导性	全面把握品牌规划，传播推广，落地执行的具体措施
	农资营销实战全指导 张　博　著	农资如何向"深度营销"转型，从理论到实践进行系统剖析，经验资深	朴实、使用！不可多得的农资营销实战指导
	农产品营销第一书 胡浪球　著	从农业企业战略到市场开拓、营销、品牌、模式等	来源于实践中的思考，有启发
	变局下的农牧企业9大成长策略 彭志雄　著	食品安全、纵向延伸、横向联合、品牌建设……	唯一的农牧企业经营实操的书，农牧企业一定要看
医药	**医药新营销：制药企业、医药商业企业营销模式转型** 史立臣　著	医药生产企业和商业企业在新环境下如何做营销？老方法还有没有用？如何寻找新方法？新方法怎么用？本书给你答案	内容非常现实接地气，踏实谈问题说方法
	新医改下的医药营销与团队管理 史立臣　著	探讨新医改对医药行业的系列影响和医药团队管理	帮助理清思路，有一个框架
	医药营销与处方药学术推广 马宝琳　著	如何用医学策划把"平民产品"变成"明星产品"	有真货、讲真话的作者，堪称处方药营销的经典！
	新医改了，药店就要这样开 尚　锋　著	药店经营、管理、营销全攻略	有很强的实战性和可操作性
	电商来了，实体药店如何突围 尚　锋　著	电商崛起，药店该如何突围？本书从促销、会员服务、专业性、客单价等多重角度给出了指导方向	实战攻略，拿来就能用
	在中国，医药营销这样做：时代方略精选文集 段继东　主编	专注于医药营销咨询15年，将医药营销方法的精华文章合编，深入全面	可谓医药营销领域的顶尖著作，医药界读者的必读书
	OTC医药代表药店销售36计 鄢圣安　著	以《三十六计》为线，写OTC医药代表向药店销售的一些技巧与策略	案例丰富，生动真实，实操性强
	OTC医药代表药店开发与维护 鄢圣安　著	要做到一名专业的医药代表，需要做什么、准备什么、知识储备、操作技巧等	医药代表药店拜访的指导手册，手把手教你快速上手

续表

医药	**引爆药店成交率1:店员导购实战** 范月明　著	一本书解决药店导购所有难题	情景化、真实化、实战化
	引爆药店成交率2:经营落地实战 范月明　著	最接地气的经营方法全指导	揭示了药店经营的几类关键问题
	医药企业转型升级战略 史立臣　著	药企转型升级有5大途径,并给出落地步骤及风险控制方法	实操性强,有作者个人经验总结及分析
建材家居	**建材家居行业老手的营销革命:除了促销还能做什么?** 孙嘉晖　著	一线老手的深度思考,告诉你在建材家居营销模式基本停滞的今天,除了促销,营销还能怎么做	给你的想法一场革命
	建材家居营销实务 程绍珊　杨鸿贵　主编	价值营销运用到建材家居,每一步都让客户增值	有自己的系统、实战
	建材家居门店销量提升 贾同领　著	店面选址、广告投放、推广助销、空间布局、生动展示、店面运营等	门店销量提升是一个系统工程,非常系统、实战
	10步成为最棒的建材家居门店店长 徐伟泽　著	实际方法易学易用,让员工能够迅速成长,成为独当一面的好店长	只要坚持这样干,一定能成为好店长
	手把手帮建材家居导购业绩倍增:成为顶尖的门店店员 熊亚柱　著	生动的表现形式,让普通人也能成为优秀的导购员,让门店业绩长红	读着有趣,用着简单,一本在手、业绩无忧
	建材家居经销商实战42章经 王庆云　著	告诉经销商:老板怎么当、团队怎么带、生意怎么做	忠言逆耳,看着不舒服就对了,实战总结,用一招半式就值了
工业品	**销售是门专业活:B2B、工业品** 陆和平　著	销售流程就应该跟着客户的采购流程和关注点的变化向前推进,将一个完整的销售过程分成十个阶段,提供具体方法	销售不是请客吃饭拉关系,是个专业的活计!方法在手,走遍天下不愁
	解决方案营销实战案例 刘祖轲　著	用10个真案例讲明白什么是工业品的解决方案式营销,实战、实用	有干货、真正操作过的才能写得出来
	变局下的工业品企业7大机遇 叶敦明　著	产业链条的整合机会、盈利模式的复制机会、营销红利的机会、工业服务商转型机会……	工业品企业还可以这样做,思维大突破
	工业品市场部实战全指导 杜　忠　著	工业品市场部经理工作内容全指导	系统、全面、有理论、有方法,帮助工业品市场部经理更快提升专业能力
	工业品营销管理实务 李洪道　著	中国特色工业品营销体系的全面深化、工业品营销管理体系优化升级	工具更实战,案例更鲜活,内容更深化
	工业品企业如何做品牌 张东利　著	为工业品企业提供最全面的品牌建设思路	有策略、有方法、有思路、有工具
	丁兴良讲工业4.0 丁兴良　著	没有枯燥的理论和说教,用朴实直白的语言告诉你工业4.0的全貌	工业4.0是什么?本书告诉你答案

续表

工业品	**资深大客户经理：策略准，执行狠** 叶敦明　著	从业务开发、发起攻势、关系培育、职业成长四个方面，详述了大客户营销的精髓	满满的全是干货
	一切为了订单：订单驱动下的工业品营销实战 唐道明　著	其实，所有的企业都在围绕着两个字在开展全部的经营和管理工作，那就是“订单”	开发订单、满足订单、扩大订单。本书全是实操方法，字字珠玑、句句干货，教你获得营销的胜利
金融	**交易心理分析** (美)马克·道格拉斯　著 刘真如　译	作者一语道破赢家的思考方式，并提供了具体的训练方法	不愧是投资心理的第一书，绝对经典
	精品银行管理之道 崔海鹏　何　屹　主编	中小银行转型的实战经验总结	中小银行的教材很多，实战类的书很少，可以看看
	支付战争 Eric M. Jackson　著 徐　彬　王　晓　译	PayPal 创业期营销官，亲身讲述 PayPal 从诞生到壮大到成功出售的整个历史	激烈、有趣的内幕商战故事！了解美国支付市场的风云巨变
房地产	**产业园区/产业地产规划、招商、运营实战** 阎立忠　著	目前中国第一本系统解读产业园区和产业地产建设运营的实战宝典	从认知、策划、招商到运营全面了解地产策划
	人文商业地产策划 戴欣明　著	城市与商业地产战略定位的关键是不可复制性，要发现独一无二的“味道”	突破千城一面的策划困局
	电影院的下一个黄金十年：开发·差异化·案例 李保煜　著	对目前电影院市场存大的问题及如何解决进行了探讨与解读	多角度了解电影院运营方式及代表性案例

经营类：企业如何赚钱，如何抓机会，如何突破，如何“开源”

	书名．作者	内容/特色	读者价值
抓方向	**让经营回归简单．升级版** 宋新宇　著	化繁为简抓住经营本质：战略、客户、产品、员工、成长	经典，做企业就这几个关键点！
	活系统：跟任正非学当老板 孙行健　尹　贤　著	以任正非的独到视角，教企业老板如何经营公司	看透公司经营本质，激活企业活力
	公司由小到大要过哪些坎 卢　强　著	老板手里的一张“企业成长路线图”	现在我在哪儿，未来还要走哪些路，都清楚了
	企业二次创业成功路线图 夏惊鸣　著	企业曾经抓住机会成功了，但下一步该怎么办？	企业怎样获得第二次成功，心里有个大框架了
	老板经理人双赢之道 陈　明　著	经理人怎养选平台、怎么开局，老板怎样选/育/用/留	老板生闷气，经理人牢骚大，这次知道该怎么办了
	简单思考：AMT 咨询创始人自述 孔祥云　著	著名咨询公司（AMT）的 CEO 创业历程中点点滴滴的经验与思考	每一位咨询人，每一位创业者和管理经营者，都值得一读
	企业文化的逻辑 王祥伍　黄健江　著	为什么企业绩效如此不同，解开绩效背后的文化密码	少有的深刻，有品质，读起来很流畅
	使命驱动企业成长 高可为　著	钱能让一个人今天努力，使命能让一群人长期努力	对于想做事业的人，‘使命’是绕不过去的

续表

思维突破	**移动互联新玩法:未来商业的格局和趋势** 史贤龙　著	传统商业、电商、移动互联,三个世界并存,这种新格局的玩法一定要懂	看清热点的本质,把握行业先机,一本书搞定移动互联网
	画出公司的互联网进化路线图:用互联网思维重塑产品、客户和价值 李　蓓　著	18 个问题帮助企业一步步梳理出互联网转型思路	思路清晰、案例丰富,非常有启发性
	重生战略:移动互联网和大数据时代的转型法则 沈　拓　著	在移动互联网和大数据时代,传统企业转型如同生命体打算与再造,称之为"重生战略"	帮助企业认清移动互联网环境下的变化和应对之道
	创造增量市场:传统企业互联网转型之道 刘红明　著	传统企业需要用互联网思维去创造增量,而不是用电子商务去转移传统业务的存量	教你怎么在"互联网 +"的海洋中创造实实在在的增量
	7 个转变,让公司 3 年胜出 李　蓓　著	消费者主权时代,企业该怎么办	这就是互联网思维,老板有能这样想,肯定倒不了
	跳出同质思维,从跟随到领先 郭　剑　著	66 个精彩案例剖析,帮助老板突破行业长期思维惯性	做企业竟然有这么多玩法,开眼界
	麻烦就是需求　难题就是商机 卢根鑫　著	如何借助客户的眼睛发现商机	什么是真商机,怎么判断、怎么抓,有借鉴
	互联网 +"变"与"不变":本土管理实践与创新论坛集萃·2016 本土管理实践与创新论坛　著	加速本土管理思想的孕育诞生,促进本土管理创新成果更好地服务企业、贡献社会	各个作者本年度最新思想,帮助读者拓宽眼界、突破思维
财务	**写给企业家的公司与家庭财务规划——从创业成功到富足退休** 周荣辉　著	本书以企业的发展周期为主线,写各阶段企业与企业主家庭的财务规划	为读者处理人生各阶段企业与家庭的财务问题提供建议及方法,让家庭成员真正享受财富带来的益处
	互联网时代的成本观 程　翔　著	本书结合互联网时代提出了成本的多维观,揭示了多维组合成本的互联网精神和大数据特征,论述了其产生背景、实现思路和应用价值	在传统成本观下为盈利的业务,在新环境下也许就成为亏损业务。帮助管理者从新的角度来看待成本,进一步做好精益管理

管理类:效率如何提升,如何实现经营目标,如何"节流"

	书名．作者	内容/特色	读者价值
通用管理	**1. 让管理回归简单．升级版** **2. 让经营回归简单．升级版** **3. 让用人回归简单** 宋新宇　著	宋博士的"简单"三部曲,影响 20 万读者,非常经典	被读者热情地称作"中小企业的管理圣经"
	管理:以规则驾驭人性 王春强　著	详细解读企业规则的制定方法	从人与人博弈角度提升管理的有效性
	员工心理学超级漫画版 邢　雷　著	以漫画的形式深度剖析员工心理	帮助管理者更了解员工,从而更轻松地管理员工

续表

通用管理	**分股合心：股权激励这样做** 段　磊　周　剑　著	通过丰富的案例，详细介绍了股权激励的知识和实行方法	内容丰富全面、易读易懂，了解股权激励，有这一本就够了
	边干边学做老板 黄中强　著	创业20多年的老板，有经验、能写、又愿意分享，这样的书很少	处处共鸣，帮助中小企业老板少走弯路
	中国式阿米巴落地实践之从交付到交易 胡八一　著	本书主要讲述阿米巴经营会计，"从交付到交易"，这是成功实施了阿米巴的标志	阿米巴经营会计的工作是有逻辑关联的，一本书就能搞定
	集团化企业阿米巴实战案例 初勇钢　著	一家集团化企业阿米巴实施案例	指导集团化企业系统实施阿米巴
	阿米巴经营的中国模式 李志华　著	让员工从"要我干"到"我要干"，价值量化出来	阿米巴在企业如何落地，明白思路了
	中国式阿米巴落地实践之激活组织 胡八一　著	重点讲解如何科学划分阿米巴单元，阐述划分的实操要领、思路、方法、技术与工具	最大限度减少"推行风险"和"摸索成本"，利于公司成功搭建适合自身的个性化阿米巴经营体系
	欧博心法：好管理靠修行 曾　伟　著	用佛家的智慧，深刻剖析管理问题，见解独到	如果真的有'中国式管理'，曾老师是其中标志性人物
流程管理	**1. 用流程解放管理者** **2. 用流程解放管理者2** 张国祥　著	中小企业阅读的流程管理、企业规范化的书	通俗易懂，理论和实践的结合恰到好处
	跟我们学建流程体系 陈立云　著	畅销书《跟我们学做流程管理》系列，更实操，更细致，更深入	更多地分享实践，分享感悟，从实践总结出来的方法论
质量管理	IATF16949质量管理体系详解与案例文件汇编：TS16949转版IATF16949:2016 谭洪华　著	针对IATF的新标准做了详细的解说，同时指出了一些推行中容易犯的错误，提供了大量的表单、案例	案例、表单丰富，拿来就用
	五大质量工具详解及运用案例：APQP/FMEA/PPAP/MSA/SPC 谭洪华　著	对制造业必备的五大质量工具中每个文件的制作要求、注意事项、制作流程、成功案例等进行了解读	通俗易懂、简便易行，能真正实现学以致用
	1. ISO9001:2015新版质量管理体系详解与案例文件汇编 **2. ISO14001:2015新版环境管理体系详解与案例文件汇编** 谭洪华　著	紧密围绕2015新版，逐条详细解读，工具也可以直接套用，易学易上手	企业认证、内审必备
战略落地	**重生——中国企业的战略转型** 施　炜　著	从前瞻和适用的角度，对中国企业战略转型的方向、路径及策略性举措提出了一些概要性的建议和意见	对企业有战略指导意义
	公司大了怎么管：从靠英雄到靠组织 AMT 金国华　著	第一次详尽阐释中国快速成长型企业的特点、问题及解决之道	帮助快速成长型企业领导及管理团队理清思路，突破瓶颈
	低效会议怎么改：每年节省一半会议成本的秘密 AMT 王玉荣　著	教你如何系统规划公司的各级会议，一本工具书	教会你科学管理会议的办法
	年初订计划，年尾有结果：战略落地七步成诗 AMT 郭晓　著	7个步骤教会你怎么让公司制定的战略转变为行动	系统规划，有效指导计划实现

续表

人力资源	**HRBP 是这样炼成的之"菜鸟起飞"** 新 海 著	以小说的形式,具体解析 HRBP 的职责,应该如何操作,如何为业务服务	实践者的经验分享,内容实务具体,形式有趣
	HRBP 是这样炼成的之中级修炼 新 海 著	本书以案例故事的方式,介绍了 HRBP 在实际工作中碰到的问题和挑战	书中的 HR 解决方案讲究因时因地制宜、简单有效的原则,重在启发读者思路,可供各类企业 HRBP 借鉴
	回归本源看绩效 孙 波 著	让绩效回顾"改进工具"的本源,真正为企业所用	确实是来源于实践的思考,有共鸣
	世界 500 强资深培训经理人教你做培训管理 陈 锐 著	从 7 大角度具体细致地讲解了培训管理的核心内容	专业、实用、接地气
	曹子祥教你做激励性薪酬设计 曹子祥 著	以激励性为指导,系统性地介绍了薪酬体系及关键岗位的薪酬设计模式	深入浅出,一本书学会薪酬设计
	曹子祥教你做绩效管理 曹子祥 著	复杂的理论通俗化,专业的知识简单化,企业绩效管理共性问题的解决方案	轻松掌握绩效管理
	把招聘做到极致 远 鸣 著	作为世界 500 强高级招聘经理,作者数十年招聘经验的总结分享	带来职场思考境界的提升和具体招聘方法的学习
	人才评价中心．超级漫画版 邢 雷 著	专业的主题,漫画的形式,只此一本	没想到一本专业的书,能写成这效果
	走出薪酬管理误区 全怀周 著	剖析薪酬管理的 8 大误区,真正发挥好枢纽作用	值得企业深读的实用教案
	集团化人力资源管理实践 李小勇 著	对搭建集团化的企业很有帮助,务实,实用	最大的亮点不是理论,而是结合实际的深入剖析
	我的人力资源咨询笔记 张 伟 著	管理咨询师的视角,思考企业的 HR 管理	通过咨询师的眼睛对比很多企业,有启发
	本土化人力资源管理 8 大思维 周 剑 著	成熟 HR 理论,在本土中小企业实践中的探索和思考	对企业的现实困境有真切体会,有启发
企业文化	**拿来就用的企业文化工具箱** 海融心胜 主编	数十个工具,为了方便拿来就用,每一个工具都严格按照工具属性、操作方法、案例解读划分,实用、好用	企业文化工作者的案头必备书,方法都在里面,简单易操作
	华夏基石方法:企业文化落地本土实践 王祥伍 谭俊峰 著	十年积累、原创方法、一线资料,和盘托出	在文化落地方面真正有洞察,有实操价值的书
	企业文化的逻辑 王祥伍 著	为什么企业之间如此不同,解开绩效背后的文化密码	少有的深刻,有品质,读起来很流畅
	企业文化激活沟通 宋杼宸 安 琪 著	透过新任 HR 总经理的眼睛,揭示出沟通与企业文化的关系	有实际指导作用的文化落地读本
	在组织中绽放自我:从专业化到职业化 朱仁健 王祥伍 著	个人如何融入组织,组织如何助力个人成长	帮助企业员工快速认同并投入到组织中去,为企业发展贡献力量
	企业文化定位·落地一本通 王明胤 著	把高深枯燥的专业理论创建成一套系统化、实操化、简单化的企业文化缔造方法	对企业文化不了解,不会做?有这一本从概念到实操,就够了

续表

生产管理	**精益思维:中国精益如何落地** 刘承元　著	笔者二十余年企业经营和咨询管理的经验总结	中国企业需要灵活运用精益思维,推动经营要素与管理机制的有机结合,推动企业管理向前发展
	300 张现场图看懂精益 5S 管理 乐　涛　编著	5S 现场实操详解	案例图解,易懂易学
	高员工流失率下的精益生产 余伟辉　著	中国的精益生产必须面对和解决高员工流失率问题	确实来源于本土的工厂车间,很务实
	车间人员管理那些事儿 岑立聪　著	车间人员管理中处理各种"疑难杂症"的经验和方法	基层车间管理者最闹心、头疼的事,'打包'解决
	1. 欧博心法:好管理靠修行 **2. 欧博心法:好工厂这样管** 曾　伟　著	他是本土最大的制造业管理咨询机构创始人,他从 400 多个项目、上万家企业实践中锤炼出的欧博心法	中小制造型企业,一定会有很强的共鸣
	欧博工厂案例 1:生产计划管控对话录 **欧博工厂案例 2:品质技术改善对话录** **欧博工厂案例 3:员工执行力提升对话录** 曾　伟　著	最典型的问题、最详尽的解析,工厂管理 9 大问题 27 个经典案例	没想到说得这么细,超出想象,案例很典型,照搬都可以了
	苦中得乐:管理者的第一堂必修课 曾　伟　编著	曾伟与师傅大愿法师的对话,佛学与管理实践的碰撞,管理禅的修行之道	用佛学最高智慧看透管理
	比日本工厂更高效 1:管理提升无极限 刘承元　著	指出制造型企业管理的六大积弊;颠覆流行的错误认知;掌握精益管理的精髓	每一个企业都有自己不同的问题,管理没有一剑封喉的秘笈,要从现场、现物、现实出发
	比日本工厂更高效 2:超强经营力 刘承元　著	企业要获得持续盈利,就要开源和节流,即实现销售最大化,费用最小化	掌握提升工厂效率的全新方法
	比日本工厂更高效 3:精益改善力的成功实践 刘承元　著	工厂全面改善系统有其独特的目的取向特征,着眼于企业经营体质(持续竞争力)的建设与提升	用持续改善力来飞速提升工厂的效率,高效率能够带来意想不到的高效益
	3A 顾问精益实践 1:IE 与效率提升 党新民　苏迎斌　蓝旭日　著	系统的阐述了 IE 技术的来龙去脉以及操作方法	使员工与企业持续获利
	3A 顾问精益实践 2:JIT 与精益改善 肖志军　党新民　著	只在需要的时候,按需要的量,生产所需的产品	提升工厂效率
员工素质提升	**TTT 培训师精进三部曲(上):深度改善现场培训效果** **TTT 培训师精进三部曲(中):构建最有价值的课程内容** **TTT 培训师精进三部曲(下):职业功力沉淀与修为提升** **廖信琳　著**	**从内到外全方位指导企业内训师从专业到卓越**	成为优秀企业内训师/培训师的案头必备书籍

续表

员工素质提升	**手把手教你做专业督导：专卖店、连锁店** 熊亚柱　著	从督导的职能、作用，在工作中需要的专业技能、方法，都提供了详细的解读和训练办法，同时附有大量的表单工具	无论是店铺需要统一培训，还是个人想成为优秀的督导，有这一本就够了
	跟老板"偷师"学创业 吴江萍　余晓雷　著	边学边干，边观察边成长，你也可以当老板	不同于其他类型的创业书，让你在工作中积累创业经验，一举成功
	销售轨迹：一位快消品营销总监的拼搏之路 秦国伟　著	本书讲述了一个普通销售员打拼成为跨国企业营销总监的真实奋斗历程	激励人心，给广大销售员以力量和鼓舞
	在组织中绽放自我：从专业化到职业化 朱仁健　王祥伍　著	个人如何融入组织，组织如何助力个人成长	帮助企业员工快速认同并投入到组织中去，为企业发展贡献力量
	企业员工弟子规：用心做小事，成就大事业 贾同领　著	从传统文化《弟子规》中学习企业中为人处事的办法，从自身做起	点滴小事，修养自身，从自身的改善得到事业的提升
	手把手教你做顶尖企业内训师：TTT培训师宝典 熊亚柱　著	从课程研发到现场把控、个人提升都有涉及，易读易懂，内容丰富全面	想要做企业内训师的员工有福了，本书教你如何抓住关键，从入门到精通

营销类：把客户需求融入企业各环节，提供"客户认为"有价值的东西

	书名．作者	内容/特色	读者价值
营销模式	**洞察人性的营销战术：沈坤教你28式** 沈　坤　著	28个匪夷所思的营销怪招令人拍案叫绝，涉及商业竞争的方方面面，大部分战术可以直接应用到企业营销中	各种谋略得益于作者的横向思维方式，将其操作过的案例结合其中，提供的战术对读者有参考价值
	动销操盘：节奏掌控与社群时代新战法 朱志明　著	在社群时代把握好产品生产销售的节奏，解析动销的症结，寻找动销的规律与方法	都是易读易懂的干货！对动销方法的全面解析和操盘
	变局下的营销模式升级 程绍珊　叶　宁　著	客户驱动模式、技术驱动模式、资源驱动模式	很多行业的营销模式被颠覆，调整的思路有了！
	卖轮子 科克斯【美】	小说版的营销学！营销理念巧妙贯穿其中，贵在既有趣，又有深度	经典、有趣！一个故事读懂营销精髓
	弱势品牌如何做营销 李政权　著	中小企业虽有品牌但没名气，营销照样能做的有声有色	没有丰富的实操经验，写不出这么具体、详实的案例和步骤，很有启发
	老板如何管营销 史贤龙　著	高段位营销16招，好学好用	老板能看，营销人也能看
	动销：产品是如何畅销起来的 吴江萍　余晓雷　著	真真切切告诉你，产品究竟怎么才能卖出去	击中痛点，提供方法，你值得拥有
销售	**资深大客户经理：策略准，执行狠** 叶敦明　著	从业务开发、发起攻势、关系培育、职业成长四个方面，详述了大客户营销的精髓	满满的全是干货

续表

销售	**成为资深的销售经理：B2B、工业品** 陆和平　著	围绕"销售管理的六个关键控制点"一一展开，提供销售管理的专业、高效方法	方法和技术接地气，拿来就用，从销售员成长为经理不再犯难
	销售是门专业活：B2B、工业品 陆和平　著	销售流程就应该跟着客户的采购流程和关注点的变化向前推进，将一个完整的销售过程分成十个阶段，提供具体方法	销售不是请客吃饭拉关系，是个专业的活计！方法在手，走遍天下不愁
	向高层销售：与决策者有效打交道 贺兵一　著	一套完整有效的销售策略	有工具，有方法，有案例，通俗易懂
	卖轮子 科克斯　【美】	小说版的营销学！营销理念巧妙贯穿其中，贵在既有趣，又有深度	经典、有趣！一个故事读懂营销精髓
	学话术　卖产品 张小虎　著	分析常见的顾客异议，将优秀的话术模块化	让普通导购员也能成为销售精英
组织和团队	**升级你的营销组织** 程绍珊　吴越舟　著	用"有机性"的营销组织替代"营销能人"，营销团队变成"铁营盘"	营销队伍最难管，程老师不愧是营销第1操盘手，步骤方法都很成熟
	用数字解放营销人 黄润霖　著	通过量化帮助营销人员提高工作效率	作者很用心，很好的常备工具书
	成为优秀的快消品区域经理（升级版） 伯建新　著	用"怎么办"分析区域经理的工作关键点，增加30%全新内容，更贴近环境变化	可以作为区域经理的"速成催化器"
	一位销售经理的工作心得 蒋　军　著	一线营销管理人员想提升业绩却无从下手时，可以看看这本书	一线的真实感悟
	快消品营销：一位销售经理的工作心得2 蒋　军　著	快消品、食品饮料营销的经验之谈，重点突出	来源于实战的精华总结
	销售轨迹：一位快消品营销总监的拼搏之路 秦国伟　著	本书讲述了一个普通销售员打拼成为跨国企业营销总监的真实奋斗历程	激励人心，给广大销售员以力量和鼓舞
	用营销计划锁定胜局：用数字解放营销人2 黄润霖　著	全方位教你怎么做好营销计划，好学好用真简单	照搬套用就行，做营销计划再也不头痛
	快消品营销人的第一本书：从入门到精通 刘　雷　伯建新　著	快消行业必读书，从入门到专业	深入细致，易学易懂
产品	**产品炼金术Ⅰ：如何打造畅销产品** 史贤龙　著	满足不同阶段、不同体量、不同行业企业对产品的完整需求	必须具备的思维和方法，避免在产品问题上走弯路
	产品炼金术Ⅱ：如何用产品驱动企业成长 史贤龙　著	做好产品、关注产品的品质，就是企业成功的第一步	必须具备的思维和方法，避免在产品问题上走弯路
	新产品开发管理，就用IPD 郭富才　著	10年IPD研发管理咨询总结，国内首部IPD专业著作	一本书掌握IPD管理精髓

续表

品牌	**中小企业如何建品牌** 梁小平　著	中小企业建品牌的入门读本，通俗、易懂	对建品牌有了一个整体框架
	采纳方法：破解本土营销8大难题 朱玉童　编著	全面、系统、案例丰富、图文并茂	希望在品牌营销方面有所突破的人，应该看看
	中国品牌营销十三战法 朱玉童　编著	采纳20年来的品牌策划方法，同时配有大量的案例	众包方式写作，丰富案例给人启发，极具价值
	今后这样做品牌：移动互联时代的品牌营销策略 蒋军　著	与移动互联紧密结合，告诉你老方法还能不能用，新方法怎么用	今后这样做品牌就对了
	中小企业如何打造区域强势品牌 吴之　著	帮助区域的中小企业打造自身品牌，如何在强壮自身的基础上往外拓展	梳理误区，系统思考品牌问题，切实符合中小区域品牌的自身特点进行阐述
渠道通路	**快消品营销与渠道管理** 谭长春　著	将快消品标杆企业渠道管理的经验和方法分享出来	可口可乐、华润的一些具体的渠道管理经验，实战
	传统行业如何用网络拿订单 张　进　著	给老板看的第一本网络营销书	适合不懂网络技术的经营决策者看
	采纳方法：化解渠道冲突 朱玉童　编著	系统剖析渠道冲突，21个渠道冲突案例、情景式讲解，37篇讲义	系统、全面
	学话术　卖产品 张小虎　著	分析常见的顾客异议，将优秀的话术模块化	让普通导购员也能成为销售精英
	向高层销售：与决策者有效打交道 贺兵一　著	一套完整有效的销售策略	有工具，有方法，有案例，通俗易懂
	通路精耕操作全解：快消品20年实战精华 周　俊　陈小龙　著	通路精耕的详细全解，每一步的具体操作方法和表单全部无保留提供	康师傅二十年的经验和精华，实践证明的最有效方法，教你如何主宰通路

管理者读的文史哲·生活

	书名．作者	内容/特色	读者价值
思想·文化	**德鲁克管理思想解读** 罗　珉　著	用独特视角和研究方法，对德鲁克的管理理论进行了深度解读与剖析	不仅是摘引和粗浅分析，还是作者多年深入研究的成果，非常可贵
	中西哲学的歧异与会通 张再林　著	本书以一种现代解释学的方法，对中国传统哲学内在本质尝试一种全新的和全方位的解读	发掘出掩埋在古老传统形式下的现代特质和活的生命，在此基础上揭示中西哲学"你中有我，我中有你"之旨
	治论：中国古代管理思想 张再林　著	本书主要从儒、法墨三家阐述中国古代管理思想	看人本主义的管理理论如何不留斧痕地克服似乎无法调解的存在于人类社会行为与社会组织中的种种两难和对立
	中国古代政治制度（修订版）上：皇帝制度与中央政府 刘文瑞　著	全面论证了古代皇帝制度的形成和演变的历程	有助于读者从政治制度角度了解中国国情的历史渊源

续表

思想·文化	**中国古代政治制度(修订版)下:地方体制与官僚制度** 刘文瑞　著	全面论证了古代地方政府的发展演变过程	有助于读者从政治制度角度了解中国国情的历史渊源
	通天彻地,九大法则:《尚书·洪范》讲记 史幼波　著	精析"洪范九畴"这一中华传统政治哲学的理论基础	寓渊深义理于通俗口语之中,使现代人也能一睹中华文化原典之精湛奥义
	中国思想文化十八讲(修订版)待出版 张茂泽　著	中国古代的宗教思想文化,如对祖先崇拜、儒家天命观、中国古代关于"神"的讨论等	宗教文化和人生信仰或信念紧密相联,在文化转型时期学习和研究中国宗教文化就有特别的现实意义
	每个中国人身上的春秋基因 史贤龙　著	春秋368年(公元前770－公元前403年),每一个中国人都可以在这段时期的历史中找到自己的祖先,看到真实发生的事件,同时也看到自己	长情商、识人心
	内功太极拳训练教程 王铁仁　编著	杨式(内功)太极拳(俗称老六路)的详细介绍及具体修炼方法,身心的一次升华	书中含有大量图解并有相关视频供读者同步学习
	中医治心脏病 马宝琳　著	引用众多真实案例,客观真实地讲述了中西医对于心脏病的认识及治疗方法	看完这本书,能为您节约10万元医药费
	史幼波大学讲记 史幼波　著	用儒释道的观点阐释大学的深刻思想	一本书读懂传统文化经典
	史幼波《周子通书》《太极图说》讲记 史幼波　著	把形而上的宇宙、天地,与形而下的社会、人生、经济、文化等融合在一起	将儒家的一整套学修系统融合起来